芸術経済論

——与えられる歓びと、その市場価値

本書は二つの記念碑的講演を収めている。一八五七年七月十日と十三日、ラスキンはマンチェスターで二つの講演を行った。彼はのちに自分の生涯を貫く主要な真理はここで最初に示され、その後の芸術の政治的影響について書いたことはこれら最初の講義の拡大にすぎないと語っている。
ラスキンは美術・工芸の例を示して、働く場は競争ではなく協力の場となるべきであり、働く人々は自分に最もふさわしい仕事に就くよう配慮されるべきであり、父権主義の政策下、国家は模範的な雇用主であるべきと定義した。この見解は独創的で異端であり世上の評価は氷の矢となって放たれたが、ビクトリア朝中期の希望的な精神とよく一致し、ウィリアム・モリスをはじめ多くの賛同者と後継者を生んで、今日の再評価の気運につながる。

THE POLITICAL ECONOMY OF ART

—— A JOY FOR EVER AND ITS PRICE IN THE MARKET

John Ruskin. 1857

カバー絵はラスキンによる自画像（1874）

ラスキン像（本書初版刊行の 1857 年、38 歳頃）
一般財団法人大阪ラスキン・モリスセンター提供

壮年期のラスキン（1862年、43歳頃）
一般財団法人大阪ラスキン・モリスセンター提供

晩年のラスキン
撮影：F・ホリアー（1894）

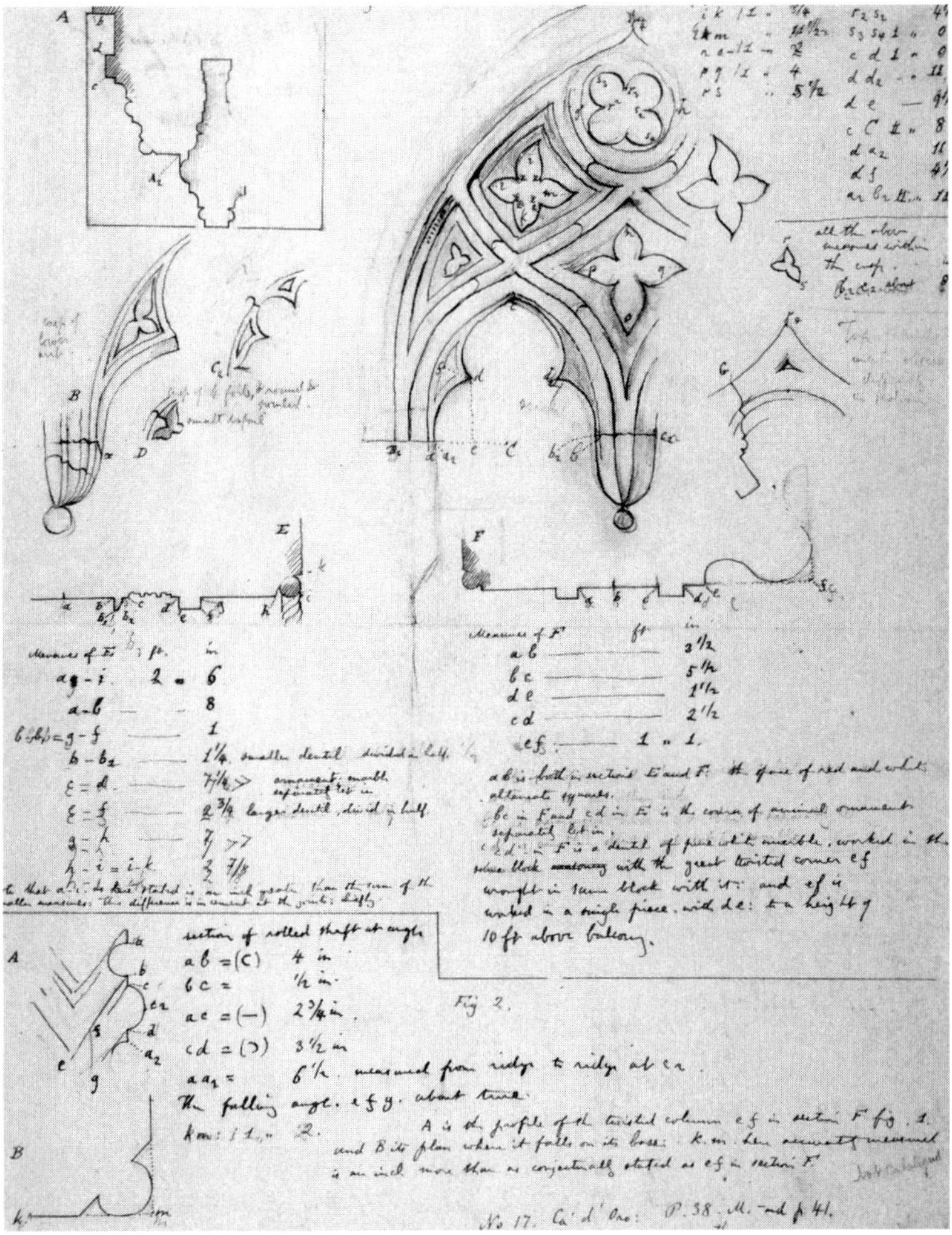

ラスキンの手稿（1849 年。カ・ドーロ 2 階の狭間飾り。
ヴェネツィアの調査では、膨大なスケッチやノートを残した）

序

芸術による労働の聖化

近年、この国の経済社会のあり方に根本的な反省と根底的な変革を求める論調が学界や経済界は言うに及ばず、巷間広く、しかも急速に高まっている。なかでも特徴的な論点は、経済成長の主役としてグローバル化した巨大企業を中心とする効率的生産体制と、それを支えてきた官僚機構があらゆる社会的ひずみの原因であり、もっとも重視されねばならない人間の生命や地球環境が経済発展の犠牲とされてきたことへの痛烈な批判である。

このような中で、経済学においては、「生命と環境を基礎においた経済学」の復権が求められるところとなった。「環境経済学」及び「文化経済学」の提唱とその体系化はこうした時代的要請に応えるものと言えよう。

日本における文化経済学の提唱者の一人である池上惇は文化経済学の始祖を、イギリス・ヴィクトリア期の経済学者であるラスキンとモリスに見出した（池上『文化経済学のすすめ』一九九一）。ジョン・ラスキン J.Ruskin は一八一九年二月八日にロンドンに生まれ、若くして詩・評論を佳くし美術評論から社会批評に視野を広げ、労働者教育や芸術家の支援活動を展開しながら、次第に J.S. ミルに代表される功利主義の経済学に鋭く対立して、人間の創造活動と享受能力を重視する「文化経済学」の体系化を志した。

彼は一八四三年の処女作『近代画家論』第一巻において、英国の国民的画家であるジョゼフ・マロード、ウィリアム・ターナーを擁護する論陣を張り、一躍文壇にデビューする。さらには、終生イタリアの都市、とりわけターナーが愛したヴェネツィアの建築群の美しさに心を奪われ、何度も調査に訪れて一八五三年に、名著『ヴェネツィアの石 Stone of Venice』全三巻を刊行している。

ラスキンの芸術観の特徴は絵画、彫刻そして建築を重要な要素として考えており、とりわけ、建築については多くの種類の芸術を総合したものであると同時に、雨風など外界の力に耐えるという点から構築される有用性と芸術性 use and beauty を兼ね備えているものとして重要視していることである。

『ヴェネツィアの石』の中で彼の後継者であり、美術・工芸運動 Arts & Crafts Movement に強い影響を与えたウィリアム・モリス W.Morris が最も重要であると評価しているのが、第二巻の「ゴシックの本質」と題する章である。

ここでラスキンは歴史都市ヴェネツィアの各時代を代表する建築群の中からゴシック様式を至高のものとして選び出しているが、その理由は、ゴシック様式にこめられた「精神の力と表現」にある。つまり、ゴシックの精神的要素は、野生味、多彩さ、変化への好尚、自然主義、怪奇趣味、不安におののく想像力、厳格さ、緊張感、過剰さ、気前の良さ等に示されており、これらは職人たちが命じられて奴隷の仕事に携わっているのではなく、自ら考え、自由に手を動かしていた結果であり、権威に対抗する自主独立の精神が表現されているとラスキンは洞察している。彼は建築の芸術性の基準として、そこにこめられた「精神の表現」を見出して、さらにその背後にある職人の生命と自由の象徴としての職人の仕事ぶり、つまり、エジプトやギリシャの奴隷芸術のように、支配者や上司に命じられた正確さや勤勉さを示す洗練された建物ではなく、権威に抵抗し、自由な発想と企画でなされた、創造的仕事を評価したのである。芸術的活動のような創造的活動は「手と頭と心」が一体となったものでなければならないと考えたラスキンは、次第に当時の労働そのもののあり方に疑問を投げかけてゆき、分業の問題点を次のように鋭く指摘したのである。

「われわれは、近年、分業という大きな文明の発明について大いに研究し、それを大いに完全化してきた。しかしわれわれは、ただそれに誤った名前を与えた。本当のことを言えば、分割されたのは労働ではなく、人間なのだ。人間は単なる切れ端に分けられた。生命は、小さな断片と屑とに粉々に砕かれたのだ。」(『ヴェネツィアの石』一八五三)

ヴェネツィアの都市景観を形成する建築群の芸術的評価から始めて、建築が表現する精神を読み解き、その背後にある自由な職人の労働の発露に視点を置いたラスキンは、一八五四年ごろから始まった労働者大学の試みに参画し、ラファエル前派の画家たちと労働者への芸術教育に情熱を燃やし、そこから芸術家や職人の創造活動にとっての障害物を告発し、その克服のために経済学の研究に没頭することになる。

本書『芸術経済論 *The Political Economy of Art*』(一八五七)とともに、『この最後の者にも *Unto This Last*』(一八六二)と『塵の賜りもの *Munera Pulveris*』(一八七二)の三冊はラスキンの本格的な経済学上の業績である。ラスキンの文化経済学の影響を受けて、名著『都市の文化』を著したマンフォードL.Mumfordは、これらの書物を評して次のように述べている。「ラスキンはエネルギー収入と生活水準とを生産との関連において表現した最初の経済学者であった。消費と創造の機能――これは金銭経済学者が無視したものだが――を彼が把握したことは……彼をして生命技術秩序の基本的な経済学者たらしめた。」（『都市の文化』一九三八）

残念ながらその晩年に精神のバランスを崩したラスキンは自らの文化経済学を体系化することは適わなかったが、価値論において現代社会の変革にも有効な射程をもつ重要な問題提起をしていると評価されている（池上惇『現代経済学と公共政策』一九九六）。

その要点をまとめると以下のようである。政治経済学者にとって本質的な仕事は何が真に有用な、或いは生命を活気づかせるものであるか、またどのような程度、種類の労働によってそれらを獲得し、配分しうるかを決定することであり、この探求は「富」「貨幣」「富裕」の三大項目にわかれ、それぞれ自然科学、商業科学、道徳科学の領域に属しているとする。

富は本質的に価値のあるものから成り、価値は固有価値と有効価値の二重性をもつ。ここで固有価値とは特定の物がもっている、生命を支える絶対的な力である。例えば小麦や清浄な空気は身体や体温を維持し、美しい草花は感性に刺激を与える力をもっている。小麦、空気、草花にはそれら自身の力が内在し、この独自の力は他のどんな物にも存在しない、もっともこれらの物のもつ固有価値が有効価値となるためには、それを受けとる人の側において一定の状態が必要であり、この場合には消化機能、呼吸機能、知覚機能が完全でなければならない。

それゆえ、ラスキンは次のように語る。

「有効価値の生産は常に二つの要請を含む。まず、本質的に有用な事物を生産するということ、次にはそれを使用する能力を生産するということがこれである。固有価値と享受能力とが相伴う場合には、『有効』価値、つまり富が存在する。固有価値、享受能力のどちらかが欠ける場合には、有効価値は存在せず、すなわち富は存在しない。」（『塵の賜りもの』）

池上惇は「ラスキンによると、固有価値は消費者の享受能力と出会って消費者の生きる力に貢献しなければ価値として実現しえない。この享受能力を論じたことは、今日からみればラスキンの先駆的な着眼点であった。」（池上『現代経済学と公共政策』）とその現代的意義を高く評価している。

続けてラスキンは価値物を次の五項目に分類している。

①土地。これに属する空気、水、諸生物。

②建築物、調度品、器械類。

③在庫の状態にある食品、医薬品、及び衣服を含む趣味用品。

④書籍。

⑤芸術品。

つまり、人間の生命を育む土地、空気、水といった自然環境がまず重要視され、次いで、生活空間を形成する住宅や調度品、さらに生産が行われるオフィス・工場や器械類、そして、三番目に日常生活に必要な消費財が掲げられ、四、五番目に書籍と芸術品という形で学術・芸術文化を示している。ここには、生命を維持するシステムを重視するラスキンの考え方が鮮明に示されているると同時に、生命を充実させるものとしての学術・文化の独自の重要性が指摘されていることも特徴的である。彼はこれらの価値物を次のように二重性として把握している。

「土地。その価値は二重のものである。第一には食料及びエネルギーを産むものとして、第二には観賞と思考の対象となって知力を生み出すものとして。」

「建築物の価値は、第一に、使用は無事に、社交は容易に、温度や通気は健康的となるよう、便宜な形状、寸法、位置ということも考慮に入れての、持久性というものに存在する。望ましいないしは可能な都市規模および区・街・広場等といったその区画様式や、土地の場所柄の相対的価値や、最も健康的で恒久的な建築様式などが、この項目のもとに研究されなければならない。建築物の価値は、第二に、歴史的由緒と建築美に存在するものであって、習慣や生活に対するその影響をわれわれは吟味しなければならない。」(『塵の賜りもの』)

このように、ラスキンは固有価値を第一義的に人間の生命を維持する物の有用性に着目し、第二義的に人間の精神を豊かにする物の芸術性に注目し、二重性をあらゆる事物に貫いている。ここには若きラスキンが『ヴェネツィアの石』において機能性と芸術性を兼ね備えた建物を「建築物」と呼び、機能しか持たないただの「建物」と峻別して以来の思想が貫かれている。この「有用性と芸術性」の視点はあらゆる価値物にあてはまる。器械の価値は第一に、労働を短縮する、あるいは人間の能力をこえた事業を達成するとともに、第二に科学的知識を普及することにあり、書籍や芸術品の価値は事実に関する知識を保存し、普及するとともに、生き生きとした高貴な感情と知的行動を鼓舞する力にある。

つまりラスキンは、固有価値を明らかにすることによって有用性とともに芸術性を産み出す労働のあり方と享受能力の形成についての経済学的課題を提起したのである。彼は労働を生きる喜びの表現である opera（ラテン語で「仕事」を意味する）と labor（同じく「労働」）に区分する。「労働とは人間の生命がそれに対立するものと争うことである。――すなわち、生命という言葉は人間の理知、霊魂および体力を含み、それらが疑問、困難、試練、あるいは物質的な力と抗争するのである。」（『この最後の者にも』）「それは通常努力そのものないしは力の適用（つまり opera）と混同されているが……。人体のもっともうるわしい諸活動や人間知性の最高の諸結果は全く苦労を伴わない――いや、生気を回復させる努力の状態、もしくは成果なのであるが、労働とは苦しみながら努力することである。」（『塵の賜りもの』）

当時、世界最初の産業革命を成し遂げた英国では資本蓄積と工場制生産の普及が大きな社会問題を引き起こしていた。一八四五年、フリードリッヒ・エンゲルスが名著『イギリスにおける労働者階級の状態』において描いたように、深夜に及ぶ過酷な長時間労働、さらには危険を伴う児童・婦人労働が常態化し、さらには密集した不衛生な労働者住宅街では疫病が蔓延して、労働者の平均寿命は三十歳代に過ぎなかったのである。

ラスキンは資本主義勃興期の賃労働者の状態を奴隷労働の苦しみと理解し、ゴシック建築を産み出した職人の生命の輝きであった「仕事」の反対物であると述べているのである。資本主義の貨幣経済によって売買の対象となり、生きるための苦痛となった「労働」に代えて、「生命と自由の象徴」である「仕事」を復活させるために、ラスキンが期待をかけたものは、「セント・ジョージ・ギルド」の試みであった。残念ながらこの試みは実を結ばなかったが、貨幣経済の圧力をはねのけて固有価値の生産と消費を通して、生産者の創造的活動と消費者の享受能力の形成をはかろうとする協同組合運動のさきがけであった。

同時にラスキンは、ヴェネツィアのゴシック建築やティントレットの天井画などの絵画・彫刻など優れた芸術品の保存のための協会の設立に力を注いだ。歴史都市の文化財保存やナショナルトラスト設立に繋がる自然環境保全の理論的裏付けこそ彼の固有価値論であった。

ラスキンの後継者であるモリスは『ヴェネツィアの石』第六章「ゴシックの本質」について次のように語っている。

「はじめてこれを読んだとき、我々の多くはそれが世界がこれから向かって旅立つべき新しい道程を指し示すもののように思ったものであった。そしてこの四十年間の様々な絶望の後になってみても、われわれの仲間たちは、とりわけジョン・ラスキンその人も、その後は、そのような旅立ちのためにどれだけの備えが必要であるのか、またその備えを行う前にどれだけ多くの事柄が変わっていなければならないかを学ばされたとはいえ、しかしなおわれわれはこれ以外には、この文明の愚行と堕落から脱け出す途を見出せないでいるのである。ここにラスキンが教示するものは、芸術とは人間が労働の中に見出す喜びの表現だということである。人々がその仕事を楽しむことは可能だということであって、それというのも、今日の我々にはそれがいかに不思議なことに思われようとも、嘗てそれを楽しんだ時代があったということである。その教えの最後は、美がいま一度、実り多き労働の自然でかつ不可欠の随伴物となることであるのだが、そのようにならないかぎりは、労働は無益なる苦痛のみとなり、人々の暮らしも苦痛そのものとなってしまうということである。……当然の帰結として、芸術による労働の聖化こそが、今日における我々の唯一の目標でなければならないということになろう。」（Morris 一八九二『ゴシックの本質』Kelmscott Press 版序文）

ラスキン生誕二百年を超えてなお、「生命と環境を基礎においた経済学」をこの国に定着させる課題は我々に投げかけられたままである。現下の新型コロナウィルス感染症対策においても、経済活動の維持が生命の安全に優先され、結果的に対策が後手に回り被害を拡大する傾向を見せている今日ほど、ラスキンが生涯を通じて訴えたこの言葉の重みをひしひしと感じる時はない。

There is no wealth, but life.

生命なくして、富は存在しない。

佐々木雅幸

筆者：学校法人稲置学園理事・大阪市立大学名誉教授・文化経済学会〈日本〉顧問（元会長）、経済学博士。金沢大学、立命館大学、大阪市立大学、同志社大学にて教授、文化庁地域文化創生本部にて主任研究官などを歴任。

新訳版の発刊にあたって

本書は、一九八一年に宇井丑之助訳によって史泉房から限定出版された『ラスキン政治経済論集』（「この最後の者にも」「ムネラ・プルヴェリス」「芸術経済論」）を底本とし、現代の読者に供するべく、大幅に新規改稿したものである。

時あたかもラスキン生誕二百年の二〇一九年、令和元年が誕生した初夏、水曜社より新訳版刊行の提案があり、環境破壊や社会保障が時代の大テーマとなっているこの時に、ラスキンの持論をあらためて世に紹介する好機と信じ、応じた次第である。

新版の編集にあたっては、現代読者の用に供するべく訳文をさらに読みやすく、原訳の固有名詞等の表記についても現代の音訓に改め、また常用漢字を基本として表現を平易に置き換えるなど、全文にわたり検討を加え、改稿を施すことにした。その作業に思いのほか時を費やし、刊行がラスキン生誕二百一年、没後百十年になったが、本書をおよそ「新訳」と銘打つために必要な日月であった。新訳にあたっては水曜社仙道弘生氏の多大な労があった。

出版にあたり、佐々木雅幸先生の序を得たことは望外の喜びであった。先生に厚く謝意を表するとともに、水曜社の熱意と尽力に御礼を申し上げます。

二〇二〇年五月

宇井 邦夫

再版のまえがき

本書は一九八一年に宇井丑之助訳によって史泉房から限定出版された『ラスキン政治経済論集』(「この最後の者にも」「ムネラ・プルヴェリス」「芸術経済論」)を底本とし、「芸術経済論」のみを、再訳したものである。

ラスキンの書は、大正、昭和初期に研究者や著名人などの訳によって多数刊行されたが、史泉房版を含めていずれもが、漢語的修飾語を多用しつつ、彼の名文章を訳したため、これが現代人にとって非常に読みづらく馴染みにくいものとなっている。また、ラスキン自身も聖書をはじめとする西欧の古典を引き合いに出しながら本文を構成していくという手法を取り入れているため、これがいっそう読者に、ラスキンは難解という印象を与えてしまっている。

こうした事情を充分に考慮し、本書では、より読みやすく、より判りやすくをモットーに、直訳的な方法をとらせていただいた。

出版にあたっては、史泉房の宮崎利厚氏ならびに巌松堂出版の綿引章夫氏に深甚なる謝意を表す。

一九九八年三月

宇井 邦夫

初版の訳者まえがき

本書は〝THE POLITICAL ECONOMY OF ART〟またの名〝A JOY FOR EVER AND ITS PRICE IN THE MARKET〟の全訳である。これを、訳者は『芸術経済論』と訳した。本書は、一八五七年、ラスキンがマンチェスターの美術館で行った二回にわたる「芸術経済論」という題の講演に、多数の注と補遺とを加えて出版したものである。それを一八八〇年に至り、彼は『永遠の歓び』と改題して出版した。この書は『この最後の者にも』と『ムネラ・プルヴェリス』とともに、彼の経済学三部作といわれるものとなっている。

一八六〇年、ラスキン四十一歳、この年に、彼の前半生の金字塔ともいうべき『近代画家論』第一巻の慧星《すいせい》的出現から十七年間の不撓《ふとう》の研鑽《けんさん》に一段落を告げ、自然のうちに啓示される神の意志、普遍的生命を明らかにし、絵画の描写説に代わって絵画を画家の感情や思想伝達の表現形式とする説を確立した。その間『建築の七燈』『ヴェネツィアの石』等の傑作を含む美術批評家としての偉大な成功がある。だが後半生への橋渡的な著作が、この『芸術経済論』であることは特記すべきである。美術批評家としての名声の重みが、後半生への転進にかえって逆作用し、激しい外圧によって定期刊行物への論稿の発表を阻まれたりした。それにもかかわらず、この年に後半生への道標ともいうべき『この最後の者にも』を初めてコーンヒル・マガジン誌に連載して、社会の非難と悪罵を買い、いわばこの年こそ、その光輝ある前半生を喝采裡《り》に閉幕し、陰惨な、しかも底光りのする後半生を冷笑悪罵の裡《うち》に開幕するのである。この間にあっても、続く、『ムネラ・プルヴェリス』を刊行し、これによって古典経済学、功利主義を批判し、人道主義経済学を創唱したのである。しかし、これも多くの含蓄ある表現を残しながら、体系的には未完成に終わった。

彼の美術評論家としての領域と、社会評論家としての領域とは、この一八六〇年をもって境としている。しかし、これに続く『時と潮』、またそれに続く『胡麻と百合』『塵の倫理』『野生橄欖《オリーブ》の冠』などの諸著作の刊行。湧きいずる悔恨と苦渋のなかで、労働者へのアピールと手作業に回帰するユートピア的社会改革を企図した「セイント・ジョージ・ギルド」を伝える『フォルス・クラヴィゲラ』の逐次刊行。痼疾《こしつ》による精神錯乱の影ゆらめく自伝『プレテリタ』を完成して、ついに、地上生涯八十一年のけなげな戦いを終え、輝かしい足跡を残し、われらの敬慕するジョン・ラスキンは世を去った。時に一九〇〇年一月二十日のことである。

彼が美術評論家として一部の人々から非難攻撃を受けたのは、彼が美にあまりに多くの道義的要素を取り入れた点にあった。また、彼が社会経済批評家として経済学者たちから攻撃を受けたのも、やはり経済と道徳とを混同してその芸術論、その経済論が感情論、あるいは倫理道徳論の傾向が強かった点にあった。

また、ラスキンが自然を尊重、愛好したことは非常なもので、今日日本人が自然を愛する程度とは格段の違いがあった。近年公害問題がやかましく言われるようになり、環境衛生が激しく採りあげられるようになったが、イギリスでは、中世時代から問題が提起されていた。ラスキンも、人と自然とは共に存するべきであるといっている。人と自然とは共に一つの偉大なる力によって支配されていて、人が造る法則は自然の法則を基としたものでなくてはならない。人はその力によってどこまでも発展していくべきであるが、どこまでいってもその自然の根底を忘れてはならない、といっている。

　科学によって、われわれが教えられるところは、「人は自然を征服すべし」ということでなく、「人と自然は、共に住むべし」ということである。人は自然と相親しみ相重んじて、共に住み共に生くべきである。かくして人生は初めて幸福であり、自然は人を解釈者としてその美をあらわす。自然は神を創り神は自然を語り、自然は神をあらわし神は人を語り、自然は神の衣である。そして聖書は最も美しい天の言葉であり、自然を讃美し真理を語る。ラスキンこそ、世界の公害問題を初めて天の声として発言した創唱者第一号ともいうべき人である。

　カーライルやラスキンやモリスが中世思想に憧れたために、ヴィクトリア朝のあのような産業主義から国民を救いえたのである。石炭の煤煙に汚されないフィレンチェの朝靄の中で生活できた当時の人々は、如何に幸福であったかを回想裡に思い浮かべて、近代人のノスタルジアは、中世への憧憬的郷愁の情を深めるばかりである。このいわゆる「愛」――「真理」への燃ゆるような愛、しかり「真理」そのものとしての「神」への愛――が最も熾烈に生きていたのは、中世であり、この思想に最も憧れ影響を受けたのがジョン・ラスキンその人であった。

　ラスキンは自然破壊者としての鉄道の発達をきらった人であったことも特記すべきである。ラスキンは終始一貫このような思想により、美術の評論にも、社会問題にも、教育問題にも力を注いだ。本書はこうした論旨のもとに書かれたユニークな論文である。これとともに彼の貴重な教養書『胡麻と百合』は読書の効能と婦徳のそれを論じて遺憾がないが、みだりに自らを卑下する宗教家と、みだりに自らの力を誇る科学者とは、ラスキンの常に敵とするところであった。こうした主張は本書のみならず『塵の倫理』の中にも、その他の諸著にも随所に見られるところである。

宇井 丑之助

『芸術経済論』目　次

【凡例】

1　本書は、宇井丑之助訳『ラスキン政治経済論集』（史泉房刊、一九八一）を底本としている。本書では、表現を平易とするため、〝The works of John Ruskin, Library Edition Vol.XVI. Edited by E. T. Cook and Alexander Wedderburn, London, 1905〟を参照し再訳した。

2　聖書引用は以下の如く略した。「旧約聖書箴言第三一章第二五節」→（旧約・箴言31・25）。

3　文中括弧（　）内はすべて訳者による注である。

4　【注】で示したのは参照した〝The works of John Ruskin, 1905〟掲載の注のうち重要なものである。その他の煩瑣な注は、本書では割愛した。

序　文（一八五七年版）

この論文は、おおむね私がマンチェスターで講演した内容のままである。だが講演は原稿なしに即席に述べたものであったから、口述でくだけすぎた箇所についてはできるだけわかりやすい、正確な言葉に書きかえた。また講演のときには時間が足らず十分説明できなかった諸点について、かなり多くの注釈を付け加えた（本書では、それらの注のうち煩瑣なものは割愛した）。

読者にはいささか釈明しておいたほうがいいかもしれない。読者は、私がこれから述べ理解を求めようとしている深遠な研究は、私が常々従事している仕事と両立し得ないのではないかと思っておられるかもしれない。しかしわれわれすべてにとって、ある程度までの正確な研究が必要であったとしても、このテーマの場合は筆者にとっても読者にとっても深遠な研究というものは必要ではない。

平易な英語では、経済学とは「市民の経済学（citizen's economy）」を意味するものである。それゆえ家政学を心得なければならないのと同様に、市民としての責任を分担する人々はすべて市民経済学の根本原理を理解しなければならない。また、その根本原理に少しも不明瞭なことはないが、これらの原理は多くの人々の実際的要求にとっては都合が悪いため、大多数は概してこれに従おうとはしない。たいていはこれを理解できないようなふりをしているか、さもなければ、習慣的にそれを信じようとしなかったために、ついには理解力を失ってしまっているとも思われる。しかし実際には、およそ科学上の大原理といわれるものには、あいまいな疑わしいものは何一つもない。つまり会計事務をまかせられる青年、あるいは一家の家政をまかせられるほどの年齢に達した若い婦人に、これを教えこむことができないような科学的な大原理というものはあるはずのものではない。

世上は私のことを、誰でもが知っていると思っていることをむりやりに説法する者だと非難するかもしれない。しかしその非難はあたらない。連日新聞に載っている商業上の出来事をみれば、いわゆる商人なりと自負している大多数の人々が金銭の本質を知らず、その活かし方に無智で無頓着でつたないゆえに、自ら不幸を招いていることは明らかだからである。

本書における経済学原理の見解はすべてではないにしても、多くは現代科学の権威から受けいれられているものである。だが、文献による裏付けのあるものではない。私が読んだ経済学の書は二十年前のアダム・スミスだけだからである。時折このテーマについての近刊書を手に取ることがあるがそのたびに思うのは、一般の読者は個々の問題について探求しようにも偶発的な小事や商取引に対応するのに忙殺されており、到底時間がないということである。また、著者自身も複雑な研究テーマの根本を見極めきれないでいるように見受けられる。

最後に、読者諸君のなかには政治面での実行可能性について、私の意見があまりにも楽天的すぎないかと非難したくなる人もおられるだろうが、そのような人々はエドワード一世（在位一二七二―一三〇七）の時代に、現在のような社会経済の状況を予測したり実現すると説明することが、どれだけ馬鹿げていたかということを思い出してもらいたい。私はエドワード一世の時代からのわれわれの進歩を信じている。その成果は言われているように素晴らしいものだが、それはわれわれが実際に成しとげたことにはなく、いまやわれわれ自身が実行可能性を思い描くことができることこそにある。

ジョン・ラスキン

一八五七年

第一講　芸術の発見と適用

われわれはこの世界でいまださほどの経験を積んだともいえないのだが、現代のさまざまな特徴と他の時代とを比較すると際立っているのは、われわれの社会が貧困を抱えていることに対しての、正当で健全な蔑《さげす》みである。さてお聴きの皆さんの幾人かは驚かれているが、繰り返そう、正当で健全な蔑みである。私はあえて真面目にこの言葉を用いている。そして今夕の聴衆の皆さんには、私が富に対して深い尊敬を払っているものであると断っておきたい。富は富であっても真の富に対してである。もちろんわれわれは、富であってもそれが偽りのものであれば尊敬してはならない。そして真の富と偽りの富との相違についてだが、私がこれからお話ししたいことである。なお先に申し上げたとおり私は、真の富に対しては大いに敬意を払っており、富者に対して公然と敬意を示すという現代人の異常な感情についても、概ね理解できると言っておく。

しかし私は、それがいかに異常なことであるかに注目せざるを得ない。私たちのこの時代においては、ぼろをまとい物欲を捨て去る禁欲的な精神に対して、哲学的にも宗教的にも崇拝することがないという点において、過去のどの時代とも異なるのである。古代においては好んで桶の中に住んだり、そのすみかは町の生活よりはるかにすぐれていると考えた人々がいたが、ギリシャ人やローマ人は彼らのような風変わりで滑稽な人々を、今日のわれわれが大資本家や大地主に尊敬を払うのと同じくらいの尊敬の念をもって見ていたようである。また人々は金銭《かね》の詰まった財布を誇らず空の財布を誇りにしていた。これら好奇心旺盛なギリシャの人々は、彼らの誇り高い貧者に対しては大いにその名誉をたたえ、富める者らに対しては不遜な態度を取った。ギリシャの学者やその模倣をしたローマの作家たちも、ありとあらゆる類いのもっともらしい不条理を吹き込まれて自分を見失い、われわれが黄金と呼ぶずっしりとした黄色の物質を集めることの無意味さを信じるようになり、経済学の最も確立された公理をも疑うようになった。

この状態は中世においても変わりはなかった。ギリシャ人やローマ人は富者をあざけり、黄泉《よみ》の河の渡守《わたしもり》カロン（ギリシャ神話に登場する）やディオゲネス（紀元前四一二？—三二三。桶をすみかとして暮らした哲学者）、メニッポス（紀元前三世紀の哲学者、風刺家。奴隷出身で金貸しとして財を成したが失って、悲しみのあまり自殺したという）などとの陽気な対話に興じた。そこでは、王や金持ちたちが悲哀に満ちた顔つきをして地獄を流れる嘆きのアケロン河の岸辺に下り立ち、その王冠を黄泉の河に投げ込んだり、また何かの場合に役立てようと思って持っていた最後の金貨を探し求めても見つけられないのを見て、地獄の渡守やキニク学派（キュニコス派。犬儒学派。ディオゲネス、メニッポスもその一人。ソクラテスの弟子・アンティステネスを祖とする古代ギリシア哲学の一派。実践的な禁欲を重視する）の禁欲主義学者たちがみな、手を叩いて喜んでいるというのである。

しかし、これらの異教徒の財宝観は、中世におけるキリスト教徒の見解にくらべると寛大であった。中世における善良な人々は、富を単に軽蔑すべきもの以上に罪悪とみなしていた。当時描かれた地獄の絵では、首から吊り下げた財布は断罪の主な象徴の一つであった。そして清貧を重んじる精神は、あたかも忠実な騎士が貴婦人に対するように、あるいは忠実なる臣下が女王に対するように、心からの服従と忠実なる敬愛とをもって尊崇されていた。そのような尊貧の感情から脱して、それらが偏見であったり誤りであることを告白するのは本当に勇気のいることである。しかし、それは是非ともそうしなければならないことである。というのは富とは人間の手に委ねられた最大の力の一つだからなのだ。この力はわれわれを幸福にすることは極めて稀であるから、これをうらやむこともなく、一方これを放棄したり軽蔑するにもあたらない。けれども今日この国では、富者の所有物は従来から考えられてきたような黄金の楔《くさび》や宝石箱では代表されないで、多様に利用している人々の数で代表されるようになり、富はその用いられ方によって人々の心身に有害なあるいは有益な影響を及ぼし、不正の財神あるいは正義の財神のいずれにもなれるのである。

さて、英国の絵画の大収集について、皆さんには理解をしていただいていると思うが、皆さんはこれらの国家の財宝を国家の真の富の一部だと思っていると思う。だが、この富の特殊な形に関連して、商業上の疑問のいくつかを考えてみることに興味がないわけではなかろう。大抵の人は、英国にすぐれた美術品が今日まで蓄積されてきたかを知る前に、その分量の多いことに驚きの目を見張っている。だから、このような多量の蓄積に含まれている政治的意義や、どんな種類の労働力を代表しているのか、そしてこうした労働力に最も豊かな結果を生み出させるためには、一般にそれをどう適用し、どう節約すべきかを考えることは価値のあることだと思う。

さて、この問題の特殊性に触れるにあたって、既知のあるいは既に確立されている一般政治科学の若干の点について詳細を論じることに、ご辛抱をいただかなければならない。というのは、確立されたとはいっても、時には議論しようとするものが未だに普遍的に受けいれられていないものがあるからである。ここで、その詳細な弁解のために時間をかけるつもりはないけれども、私がどのように理解しどのように議論したがっているかについては、はっきり申し上げておく必要はある。さらに、聴衆の皆さんの中には労働の普通の分野がそうであるように、経済学に関心を持たない人もいると思う。また、その原理がどのようにして「芸術」に適用されるのかと聞きたい人もいると思う。そこで、若干の初歩的な一般的原理の説明をしながら専門的な問題に入るので、ご辛抱をお願いしたい。

では、これらの必要な真理の一つから始めよう。すべての経済は、国、家庭あるいは個人のいずれでも労働を管理、調節する技術であると定義してよい。この世界は、神の摂理によって調整されているので、一個人の労働で適切に利用されるならば、その人の人生は、常に必需品のすべてはもちろん、さらに多くの楽しい贅沢品、さらに長期間にわたる健康的な休息や有益な休暇を十分に与えられるのである。そして、国民の労働も同様に、適切に利用されるならば、全人口に対して良質の食料と快適な住居が十分に与えられるだけでなく、よい教育や贅沢品や、現に皆さんの身辺にあるような美術品も十分に供給されるものである。しかし、同じ自然の法則と神の摂理によって、もし国民のあるいは個人の労働がその適用を誤ったり、また非常に不十分であったりまた国民や個人が怠け者であったり愚か者であるならば、その怠惰と不謹慎すなわち労働の拒否とその誤用に対して正比例した悩みと欠乏が生じるものである。この世の中で欠乏、悲惨、あるいは堕落のあるところには必ず勤勉が欠乏しているか、誤用されている。街頭に悲嘆、墓場に犠牲が満ちているのは、偶然の出来事でもなければ天災でもない。人間本来の避けられない不幸でもない。それは謹慎しなければならないときに浪費をし、労働をしなければならないときに淫《いん》蕩《とう》にふけり、服従しなければならないときにわがままを働いたからにすぎない（旧約・箴言13・23

「貧しい者の開拓地に、多くの食糧がある。公義がないところで、財産は滅ぼし尽くされる」）。

さて、われわれは「エコノミー」という英語の言葉を、本来のそれとは全く関係のない意味に曲解してきた。英語の常法に従えば、それは常に単に倹約あるいは貯蓄を意味するにすぎない。金銭の経済とは金銭の貯蓄を意味し、時間の経済とは時間の節約を意味するなどである。しかし、それは全く乱暴な言葉の用い方である。すなわちそれは英語ではなく悪いギリシャ語であるということから、二重の意味で乱暴である。そして英語でなく悪いギリシャ語でありさらに悪い意味であるから、三重の意味で乱暴である。「エコノミー」は、金銭の消費を意味しないように金銭の節約を意味していない。それは一家の経営、処理であり、金銭なり時間あるいは何なりともできる限り有利に消費あるいは節約することを意味する。最も簡単明瞭にエコノミー（経済）を定義すれば、それは公私を問わず労働の賢明な管理である。そして管理とは、主として三つの意味を持っている。すなわち第一は諸君の労働を合理的に適用すること、第二にその成果を大切に保存すること、第三にその成果を時宜を得て分配することである。

まず第一に、皆さんの労働を合理的に適用するということは、できる限りの貴重な物や最も永続的な物を獲得するためである。それは小麦をつくれる所に燕麦《えんばく》をつくるのでなく、着ることのない織物に精密な刺繍《ししゅう》をすることでもない。第二に、成果を大切に保存するということは飢饉《ききん》の時のために小麦を周到に貯蔵したり、刺繍した布地を虫に食われないように注意して保存するということである。そして最後に、成果をタイムリーに分配するということは飢えた人々が生じたならば直ちに運ぶことができ、刺繍を喜ぶ派手な人がいる所へはすぐ運べるということである。

つまり女王のような主婦、あるいは国民の望みにかなうようにすることである。「古来の賢人」曰く「彼女は夜明け前に起き、家の者に食事を整え、召使の女たちに用事を言いつける。彼女は自分のために敷物をつくり、彼女の着物は亜麻布と紫色の撚《よ》り糸でできている。彼女は力と気品を身につけ、ほほえみながら後の日を待つ」（旧約・箴言31・15、22、25）。

さて皆さんは、この完全な経済人あるいは一家の主婦の描写の中に、実もあり華もある二大目的の間で、彼女の心づかいが調和のとれた分配をされ、そのことが選ばれた言葉で表わされていることを認められるであろう。彼女の右手には生活と衣服のために必要な食料と亜麻布、左手には名誉と美のための紫布と刺繍した布がある。これら二つの区分によって理解されるすべての完全な家政あるいは国民経済にとって、そのいずれか一つを欠いても経済は不完全なものとなる。もし華美の動機だけが増長し、国家経済人の目が黄金、絵画、絹布、大理石などの蓄積にだけ向いてしまうと、皆さんはこれらの財宝のすべてが間もなく国の廃墟の中に四散してしまうときが到来するはずであることを悟るであろう。もしこれに反して実利的要素が重視されるならば、美や悦楽の芸術を国民が軽蔑し誰もそれに従事するものがいなくなってしまう場合には、それらの芸術にのみ一定量の国民のエネルギーは全く消費されるに違いない。これは悪い経済であるばかりでなく財貨の利用に関する欲情のみが病的に強くなって、単なる蓄積のための蓄積あるいは単に労働のための労働になって、最後には人生の静朗さと道徳性は自尊心のない浮薄な歓楽に追い出されてしまうであろう。そして同様にいやもっと明瞭に、私経済や家庭経済の中でその所有別の実用と快楽の間にある調和のとれた均衡によって、その完全さについて皆さんは常に判断できるであろう。皆さんは賢明な農夫の庭園は、整然と手入れされた野菜と香り高い花とに区分されているのを見ることができるだろう。また善良な主婦は、美しいテーブルクロスや磨き立てた戸棚の美しく飾られた皿や満杯の貯蔵庫と同様に、誇りを持っていることもおわかりであろう。彼女の真面目さに敬意を表わすけれども、彼女の顔に表われている心配事も楽しさに変えられるだろう。皆さんは、彼女の笑顔が最上であることがおわかりになるだろう。

さて皆さんはすでにお気づきであろうが、今夜以降主として農園よりはむしろ花園に関する経済について話を進めたいと思う。私はわが国の花園に花床を最もうまく配置し、世人を賢明にできるように樹木を順々に立派に栽培できるかという法則を——神から禁じられた意味でなく——、皆さんに考えていただきたい。

しかし、この問題の専門的研究を進める前に、実用的、享楽的のいずれであっても、すべての経済学の根本があるに違いない政治のあるいは権力の原則の承認を得るために、若干の時間をいただき、弁明をしておきたい。私は先刻、国民の労働が適切に適用されるならば善い食料、快適な衣服と心地よい贅沢を十分に供給できるといった。しかしこれらは巧妙で即時的で、持続的な適用が最も重要である。強健な労働者が職を失ったとき、われわれは何か手助けしてやろうとあわてて探し求めることはしてはいけない。もしもわれわれの家庭でそんな必要を感じるならば、それは家庭乱脈の徴候である。農家の主婦のもとに正午頃、一、二名の使用人がやって来てもうやることがなくなった、と訴えたとしよう。そうすると農家の主婦は部屋の中や庭先をあてもなく探すが、そこいらはひどく乱雑になっていてどこから手をつけてよいかわからず、ついに夕食まで何もせずに放っておかなければならないとひどく歎いたとする。これは、わが国であまりにもしばしば行われている類いの経済の型なのである。そのような主婦は自分の責務を全く知らないのだと、皆さんは直ちに断言しないだろうか。またもしこの家庭が順序よく整理されていたならば、彼女は何時でも何人かの手すきの人に手伝いをさせて、そうさせた人から喜ばれていると思っているだろう。またその主婦はすみやかに使用人を仕事につかせ、明日の仕事をどうやれば最も有効であろうか、来月の仕事はどうすれば賢明に準備できるだろうか、あるいは新計画として何が有利であるかわかっているのだろうか。そして夕刻になり、彼女の使用人に娯楽を与え休憩させるとき、あるいは夕陽さす軒下の作業台のまわりに彼らを集めて読書をさせるとき、そこには一人も怠ける者がおらず、一人も余分に労働させられた者がなく、すべての者が働いたので仕事は立派に仕上がっていること、主婦の親切と落ち着きが弱い者に向けられ、軽い仕事に従事させ困難な仕事は強い者にやらせ、無為のために恥をかかされた者もなく過労によって心身を害した者がいなかったこと、これらについて皆さんはどう思うだろうか?

さてこのような家庭と符合する状態は経済学を正しく理解している国民の中にも認められる。皆さんは、衆人の就職の困難さを訴える。実際のところ、真の困難さはその仕事に対する適材を発見することにある。皆さんにとって重大問題は、どれだけの人間を養わねばならないかという数の問題ではなく、どれだけの仕事をしなければならないかという量の問題である。われわれを破滅に導くのは、われわれの不活動によるのであって飢餓ではない。われわれの使用人が食欲旺盛であっても心配無用である。われわれの富は彼らの力の中にあるのであって、彼らの飢えの中にあるのではない。皆さんの住むこの島を見まわして、そこで何をしなければならないか考えてもらいたい。海は港のない断崖に向かって咆哮《ほうこう》している。皆さんはそこに防波堤を築いて、避難港を掘らなければならない。不潔な疫病が街に蔓延しているので豊かな清流を丘から引き、清新な空気を街道に送らなければならない。飢餓は皆さんの唇を青白くし、皆さんの身体の肉を食い去っている。皆さんは荒地を開墾し沼地を干拓し、湿地に水を湛《たた》えさせずに、岩のかわりに蜜や油を絞り取らなければならない。これら諸般の事業をしなければならない。そして、この英国という大農園において、それらのことを絶えずやり続けなければならない。これ以外にやる仕事がほかにあると思ってはいけない。農園や荘園の開拓に適用されるのと同一の経済の法則が、一州一島の開拓にも当てはまる。皆さんが、管理のされない世襲地主の怠慢を非難することはわが国民を怠惰のままにし、国家を無秩序に放置している限りはまさに自分自身を非難していることにほかならない。皆さんは、貧困と無能を歎息するある地主に対して、彼の土地の半分は雑草で埋もれその垣根はみな壊れており、家畜小屋には屋根がなく、彼の使用人は食料不足で垣根の下に倒れていると指摘しても、彼が彼の土地の草を刈り屋根を葺《ふ》いてやるのは身の破滅だ。そんなことを実行するには大変な金銭がかかる。そして、彼がどうやって彼の労働者を養いどうやれば彼らに賃金を払えるのか知らないと答えるならば、あなたは何と言うのだろう。皆さんはたちどころに、彼の土地の除草は彼を荒《すさ》ませるのではなく彼を助け、無能な彼を破滅させるのでなく、彼の使用人を仕事につかせるのは彼らを養うことにほかならないではないかと答えるだろう。皆さんが、好きなほど土地の面積を殖《ふ》やしてみたとしても、この簡単な法則の権威から逃れるような土地はどこにもないといって差し支えない。わずかな土地の管理に適する原理は、天地の果てまで広がる土地の管理にも適しているのである。土地が広大になったから荒廃の原因となったり、労働が普遍的だからといっても、それが生産的でなくなることもない。

そのうえ皆さんは、国家の経済と私人の経済の間には大きな違いがあると答えるだろう。農場主は彼の労働者に対して全権を持っている。彼は労働者に対してしなければならないことには、好むと好まざるとにかかわらず実行することを命じることができる。もし、彼らが働くことを拒み、あるいは他人が仕事をするのを邪魔したり命令に従わなかったり反逆的であるならば、彼は彼らを解雇することができる。ここには大きな相違があるのだ。この相違こそが、正しくわれわれが撤廃しなければならないとしているものであることに、皆さんは十分ご留意していただきたいと願うのである。われわれは農場、船、軍隊などに権力の必要なことを知っているが、国家の政治になると一般にそれを拒否する。この点について少し考察してみよう。

フランス人は、社会制度の発展過程で拙劣でみのりのない努力を重ねてきたが、一つだけ真の原則を発表した。それは友愛と同胞の原則である。しかしこれを聴いて驚かないようにしてもらいたいが、彼らは友愛という事実に、もう一つ同等に重要なことが含まれていることを忘れてしまっていたのである。それは、友愛には父性、あるいは父権が含まれているという事実である。もっと詳しくいうならば、国民を一つの家族とみなすとすれば、その家族の結束の条件は、忠実で愛情に満ちた家族すなわち兄弟であることよりも、彼らが当主、すなわち父を持つことのほうが重要なのである。われわれはこのことを忘れてはいけない。というのは、われわれは長いこと口では承認してきたが、実生活ではそれを承認しようとしないからである。毎日曜日には、三十分間、黒いガウンを着た牧師から真理が語られ、われわれに同胞としての説教があると思っているのに、教会の外でわれわれに同胞愛があるという考えには身ぶるいするのである。われわれは、父権といった類いのものを、われわれに行おうとする政治思想には戦々恐々としているが、政治に関する論文を数行も読めば必ず「父権政治」という言葉に遭遇する。さて、以上の同胞愛と父権政治という二つの形式的な言葉は、双方の場合とも完全にあてはまる正確な言葉だと思う。そして、私が健全なる国家組織を表わすものとして、これまで用いてきた農園とその使用人とのイメージは、それがあまりにも家庭的であるためでなく、むしろあまりに家庭的でないためにぴったりあてはまらないと信じるのである。というのは、よく組織された国民の真の見本は、単に賃金で雇われていて、もし働くことを拒めば解雇されてしまうような使用人によって耕作される農園ではないからである。そこでは主人が父となり、すべての使用人は子とならなければならない。そこではすべての規則が単なる便宜的なものでなく、親族関係に基づく愛情と責任の結合によらなければならない。そこではすべての行為も、勤労も同胞的親和によって温かく包まれるのみでなく、父権によって強化されているのである（補遺・一＝一四四頁）。

もっとも、私はこのような権力をある特定の個人、ある特定の階級、あるいは団体の掌中に置くべきだとは考えない。しかし賢明に一身を処していこうとする個人は、煩わされる時が来てまさに身を処する必要があるときにこそ、自分自身のための法則を準備しておき、その法則に準じて処する必要があろう。同様に自らを賢明に処せんと思う国民は、自らを統制する権力を確立し、王、議会あるいは法律に授けておかなければならないし、その法律や権力が国民全体にとって繁雑であっても、またある団体にとって有害なものであっても従わなければならない。そして今日まで、この種の国法は単に暴力や犯罪を防ぎ、処罰する努力でもって満足するような裁判上のことに限られていたが、しかし社会知識の進歩に伴い、われわれの政治を司法的なものと同様に、父権的なものにしていくように努めなければならない。その法律や権力を確立するということは、国民の職業を指導し不心得から保護し、非難から救済するのである。こうした政治は、盗みを罰するように不誠実を阻止するものでなければならない。その政治においては、国民の訓練は今日までは戦力を強めるためであったが、平和のための苦労であることを示さなければならない。そこでは政府の兵士が剣を持っているのと同様に、鋤《すき》を携えた兵士を持たなければならない。そして紅の血で銅色になったブロンズの名誉な十字架を与えるよりも、収穫の光で金色さん然とした勤労の黄金の十字架を、より誇らしげに授与しなければならない。

もちろん、私はこうした類いの政府の本質や細目について論じる時間を持っていないが、次の一つの真理についての幾度かの、そして将来にわたっての考察をされるよう希望するものである。それはすべての人類の進歩と努力と能力の根底には「訓練」と「干渉」が横たわっていることである。「独善」主義というものは、人がしなければならないすべての事物において、死滅に導くものである。もし彼が彼らの仲間を放置して顧みなかったならば、そして彼が自らの精神を修養せずに放任しておくならば、十中八九は彼にとっても破滅の時が来るだろう。それを避けるには人々はその生涯を健全で、絶えず耕作し剪定《せんてい》し、叱責し援助し、監督し処罰しつつ生きなければならない。それゆえ国民の堕落を防ぎうる秘訣を見出したいと思っている国民にとっては、国民の行動に対する制御と干渉の大原則を容認するだけである。私は、一般大衆は政府から教育を受ける権利を持っていると信じているが、それは政府に対する服従の義務を容認している限りのことである。私は、一般大衆がその為政者に就職を要求する権利があると信じている。しかしそれは、労働の指揮命令権を為政者に対して容認した上のことである。そして、国民の幼稚な空想を抑え大人気のない活動を指導するだけの父権を与え、はじめて国民の苦悩を救い、保護されない弱者も救済されるべきと要求する権利を持つのである。そして、はじめて国民のあらゆる悲痛、あらゆる窮乏、あらゆる災禍《さいか》に対して父の御手《みて》はさしのべられ、父の御楯《みたて》はかかげられるのである。【注】

【注】救貧法修正案についてのワーズワース氏（ウィリアム・ワーズワース、一七七〇―一八五〇。イギリスのロマン派詩人）の論文を参照されたい。私は一つだけ重要な文章を引用する。「人間が極限の状態にあってさえも、自助することが今の社会では求められるのか、という抽象的疑問に触れることが妥当でないとしても、政府の立法での看過や不備があったとしても、誰も生存の危機に陥らないように有効な規定をつくることが、すべての問題に対して〝父権者〟の地位に立つキリスト教的政府の義務だと言えないだろうか?あるいはこのように主張しても、国家の忠誠に対する要求には人民の保護という問題を含んでいることは争うことのできない事実ではなかろうか？　そして一方におけるすべての権利は相関的に他方に対して義務を負わせるものであるから、国家が国民の勤労を要求し戦時には生命をさえ差し出せと国が要

求するのであるなら、たとえ功利主義者や経済学者の反対があっても、国民は彼ら自身、原因のいかんにかかわらず自助できない事態に陥った場合、公費での支援を国民に与える権利を要求できる権利が設定されるべきなのである」（補遺・二＝一五〇頁）。

さて、私は、この問題について当面の質問に必要な、あるいはそれ以上の長さでお話ししてきたのは、私が第一の大原則と信じる経済学上のこの問題について、明白な言明なしに話したくなかったからである。しかし、私が芸術愛護者や芸術家の自由に著しい拘束や干渉を加えるように芸術経済が妥当なものだといったときに、皆さんが直ちに猛烈に反対しないように私の立場を示しておくためである。われわれは全体として思慮深い国民であるが、単なる商業上の事柄や、それがわれわれの想像の力に絶えず訴えるような問題では、なおさら衝動的に行動しすぎるのである。だから提案された制度や制限がどの程度有益なものであるかは、皆さんの判断にまかせるが、ただ私はそれらが単に制度であったり、制限が課されるというだけの理由では反対しないように切望するものである。

皆さんはカーライルの書いた興味深い論文を思い起こさないだろうか（アレクサンダー・カーライル、一七二二―一八〇五。スコットランドの宗教指導者・伝記作家）。この論文はカーライルの「サーター・リザータス」にある。その中で彼は、今日この国において行われている人と馬の理解力と商業的価格の比較をしている。馬は人間より劣った頭脳を持ち器用な手の代わりに不器用な蹄《ひづめ》を持ちながら、常に市場において数十ポンドやそれ以上の値で売れるのに、人間が社会に役立つには自殺して社会の厄介を除くくらいだとしばしば考えられているのは腑《ふ》に落ちないことだと言っている。カーライルはこの問題について回答はしていない。というのは、それは自明の理だと彼は考えていたからである。

馬の価値というものは、皆さんが馬に手綱をつけて御することができるということだけで決まる。人間の価値も全くこれと同様なのだ。もし皆さんが人間に手綱をつけ、あるいは良く御すならば、あるいは人間が自分自身を御するならば、人間は直ちに価値ある家畜になるであろう。そうでない限り、商業的見地からは人間の価値は無かあるいはたまたま値付けされる価値になってしまう。もちろん人間の手綱は皮製ではない。どんな織物でつくられるべきかは次の教訓の中から見つけられるだろう。すなわち、「あなたは、さとりのない馬や騾《ら》馬《ば》のようであってはならない。それらは、くつわや手綱でおさえなければ、あなたに従わないであろう」（旧約・詩篇32・9）。皆さんはもちろん手綱のない人間になってはならないが、その手綱は全く種類の違ったものでなければならない。「わたしはあなたがたに目を留めて、助言を与えよう」（旧約・詩篇32・8）。人間の手綱は「神の目」でなければならない。そしてもし彼が神の目の導きを拒んだならば、彼にとって次善の道はさとりのない馬か騾馬の手綱になる。そして、もしそれをも拒み歯をむいて狂暴になれば、もはや馬の手綱の元までも町より流れ出た血潮（新約・ヨハネ黙示録14・20）のほかに、彼のためには何も残されないのである。

しかし、最後に一言申しあげるが、この政治上の一般的かつ重要な法則のことはさておき、いやむしろこれらの法則をわれわれ自身の領分に立ちかえって、食料の獲得ではなく情緒の表現に関する人間の労働の特殊な三つの要点について考察しなければならない。われわれは、芸術について次のことを考察しなければならない。第一にわれわれはどのように労働を芸術に適用するか。第二に労働の結果をどのように蓄積あるいは保存すべきか。第三にその成果をどのように分配すべきか、ということである。しかし、芸術における労働というものは特定の階級の人の労働を用いなければならないのであり、その人はその道にかけて特別な才能を持っているので、労働の適用方法を考える前にまず第一に、どうやって芸術労働者をつくるかを考えなければならない。そしてこの特殊なケースは、四つに分かれる。第一にどうやって天分のある人を得るか。第二にその天分のある人を雇うにはどうするか。第三にその人の作品を最大量に蓄積あるいは保存する方法は。そして最後にその作品を国民の最大利益のためにどう分配するかである。これらの問題を順次に究明していきたい。

発　見

われわれは、どうやって天才を得たらよいのだろう。いいかえれば与えられた時間に、最大量の有効な芸術的知能をどうやってつくればよいのかということである。こういえば皆さんは、それは芸術教育のあらゆる手段を広範に含んでいると答えるであろう。その通りである。しかし、私はそれらの考察をしようとは思っていない。私はこの問題の根底に横たわっている二、三の原則を述べるにとどめたい。その原則のうち第一は、芸術家というものは常につくられるものではなく、発見されるべきものであるということである。皆さんが黄金をつくることができないのと同様に、彼らをつくることはできない。皆さんは芸術家を発見し彼を精錬することはできる。皆さんは山間の渓流に塊状をなして横たわっている黄金を掘り出し家に持ち帰り、それで通貨や日用品をつくることはできる。しかし金の一粒すら皆さんはつくることはできない。芸術的知能のある一定量は、民族の性質、文化、あるいは人種によって多少は違っているが、年々各民族のうちに生まれている。しかしその生産量は完全に固定していて、その一粒といえども増減することはない。皆さんはそれを失うことも収集することもでき、峡谷に放置することも砂に埋めることもでき、あるいは王の玉座をつくったり寺院の楼門をつくることも、お望みのままにできる。しかし皆さんができる最善のことは、選別をし、溶解し、鍛造し、精錬することだけで、創造することはできないのである。

この芸術の黄金について、注意すべきもう一つのことがある。それは黄金には量に限りがあるだけでなく、用途にも制限があることである。皆さんがもし欲しくなければ、玉座も黄金の楼門もつくる必要はない。けれども、黄金で他のものをつくろうとしてもそれはできない。ナイフも武器も線路も、何もつくることはできない。黄金は皆さんを切ることもなければ運ぶこともなく、機械的用途に供したとしてもすぐに壊れてしまう。なるほど最大級の芸術家では、その本来の芸術的能力が他の物と併存していることがある。皆さんは他の能力を利用すれば、芸術的能力を休眠させることになる。実際、いまでもわれわれは二、三のレオナルド・ダ・ヴィンチ（一四五二―一五一九。イタリアの画家、彫刻家、建築家であり科学者）を港や鉄道で雇っているかもしれない。

しかしそれはレオナルド型の黄金の能力を雇い活かすのではなく、彼の能力を抑圧し破壊していることになる。普通人の芸術的天分は、他の才能とは結合していないのである。もし皆さんが生まれつきの画家を画家にしなかったならば、結局は彼は第一級の商人にも法律家にもなれないだろう。とにかく彼自身の天賦《てんぷ》の才は皆さんによって採用されず、他の職業への賢明な援助もされなかったのである。皆さんは年々、神の摂理によってつくられる一定量の特殊な才能をその手に与えられているが、その才能は本来の適業に合わせてこそ使うことができる。もし、他の方面に用いようとすればそれは人間活動の逸失にすぎないのである。

さてそこで、そうした人物を利用しようと望むならば、最も良く発見し陶冶《とうや》するためには、どうすれば良いだろう。それはいとも容易に発見できる。それを利用することを望むことが、発見することなのだ。皆さんの必要と思う主要都市のすべてに能力訓練学校（school of trial　補遺・三＝一五七頁）を設け、農場主が農場の若者を手こずらせないように、あるいはいつも袖を上下逆に縫いつけるような愚かな洋服屋の小僧を入れて、他の商売を試みさせてみるとよい。ただ、この能力訓練学校は芸術教育の型通りの規則に拘束されてはならず、結局はすぐれた画工の仕事場のようなものでなくてはならず、そこでは画工は、その若者にはどんな芸術が適しているかを見出すまで、あれやこれやと試すのである。

この能力訓練学校に次いで必要なことは、彼らに何かやさしい安定した職業を与えることで、これがまた重要なことなのだ。現在の制度においてさえも、真実豊かな芸術的才能を持つ少年たちは概して自力で画家になるものだが、しかし彼らの大半は生活との戦いのために才能を枯渇させてしまう。相当な実力を持っていても、たいていの場合は職を得るまでに心がひねくれ、天分はゆがめられる。常人にいたっては定見を持ち得ず、世間の要求に身を屈し世俗に迎合して下手な絵を描きなぐるようになる（補遺・四＝一六五頁）。一方で天与の才に恵まれた人間は、世俗と戦い論戦を挑み、世間は報復として彼の半生を飢餓に陥れる。そうなのだ、画家の生まれて備わった独創的天分に恵まれても、その程度に従って前半生は確実に悪戦苦闘続きになるという状況が、ますます増加しているのだ。そして、内面が充実して幸福でなければならない時、その気質が静穏でありながら希望が熱くたぎっていなければならない時、人生で最も重大な時期であるちょうどその時に、彼の心は不安や家計のやりくりに満たされている。失望で心萎《な》え、不当に苦しめられたという思いに満たされ、自らの才能にすがると同時に自らの非才にも囚われる。そしてプライドの葦《あし》が折れ、目的の鏃《やじり》も鈍ってしまうのである。

それゆえ、われわれが必要とするものは、十分に安定した雇用の方法である。若い画家たちに奪い合うような多額の賞金を提供するのでなく、適当な支援をすべての者に与えることであり、そして持っている能力を拒絶したり、彼が難儀することなしに発揮する機会を与えることである。この種の労働の最も好ましい分野は、絶えず発展する国民の利益になる、種々の装飾を備える公共建築などの事業にあることはいうまでもない。そしてこの確実な雇用をするということ以上に、皆さんに従った若者の作品が受ける批評を、あなた方、いや公衆が受けるということは重大なことである。とかく世間の評というものは、無分別な称讃や軽卒な非難によって、非常に害のあることをしている。しかし、最も有害なことは、常に非難によっていることを記憶しなければばならない。というのは、若者たちの仕事はまだ完全な域に達していないからである。多少の知識不足ということもあるに違いないが、多少の弱点もあるに違いない。同様に多少とも実験的であろうし、もし実験的であるならば随所に間違いもあるはずである。そうして皆さんは、すでにご承知のように、欠点を見つけると突然の罵声《ばせい》を浴びせることになる。それは、彼の発達段階における自然的な、避けることのできない若さを非難することになり、あたかも子どもが枢密顧問官のように慎重でないといって、あるいは子猫が親猫のように慎重でないといって欠点を探すのと、まさに同様に不合理なものに違いない。

しかし、真に非難されるべき、真に不必要な一つの欠点がある。それは、拙速にして怠慢ということである。皆さんが青年画家の作品を見て、大胆すぎるかだらしないと思ったならば、直ちに攻撃してよい。それはたしかに正しいことである。もし彼の作品が大胆であるならば、それは不遜である。不遜は叱正してやらなければならない。だらしのないのは不精の証拠である。その不精を鞭韃《べんたつ》してやらなければならない。彼が拙速でだらしなく仕事しているのであれば、彼に対しては軽蔑するほかない。だが彼が皆さんの称讃を求めようとしていなければ、その態度に対しては彼を評価してやってもよいだろう。

しかし彼が真に称讃に値するのならば、正しい道を踏みはずさないよう彼を正当に評価してやらねばならない。それは彼の労働に報いるというわれわれの至幸の特権をわれわれ自身から奪うことになるからである。というのは、他人の称讃からの報酬を十分に受けいれられるのは青年だけである。大成した老人になると、われわれが思う以上にはるかに超越している。皆さんは老大家に対して同情をもって奨励し喝采をもって囃《はや》したとしても、老大家は皆さんの称讃をさげすみ、われわれの愉快な心持ちを疑う。彼らがその若き日、その大望の第一目標に達したとき「良くやった」と称賛したときには、彼の顔は誇りと歓喜の血潮に満ち若さという芳香に包まれ、数多《あまた》のライバルたちとの競争の中で元気づけられたであろう。しかし今日では、彼らの歓びは過去の記憶となり、彼らの野望も天国に消え去っている。彼らがわれわれに歓びを与えることはいまもできるが、われわれは彼らに歓びを与えることはもはやできないのである。われわれは彼らの老成円熟した結果がもたらした成果に心の糧《かて》を得ているが、彼らにとってわれわれは咲いている花の害虫であり、われわれの称讃は枯れ枝をわたる秋の生温い風にすぎないのである。

この若者に対する皆さんの支援を阻《はば》む、大きな悲しむべき一つの思想が未だにある。高貴な性格の持ち主の中には、その幼少時代の温情と愛情が、かりに報いられないものであっても今なお冷《さ》めきれずに残し持つ人がいる。そしてそのような老人の心は、永い間抑えられていた同情が遂に与えられたときには、また歓びを感じることができるのである。しかしこうした高貴な性格の人の若い頃の大望の原動力は、彼自身のためではなく両親を歓ばすためのものであることが多い。高貴な青年は彼に与えられた世間の名誉を回想するとき、その最大の歓びは彼の父の目に誇りの輝きを見た瞬間であり、彼の母が嬉し涙を悲しみの涙と誤解されまいと顔をそむけるのを見た瞬間であることを悟るのである。彼の価値が認められたときの恋人の歓びすら、父母のそれを彼自身が感ずる歓びとをくらべれば、それほど至高ではない。というのは、彼女の面前では自分を偉く見せようとする欲望と彼女の歓びを得ようとする欲望とが混在しているのである。しかし、両親の面前では少しもそんなことは必要としないものである。両親に自分のやって来たことが世間でどういわれているかを言いに来るのは、ただ両親を歓ばせようとの純粋の希望からである。だから彼は、彼自身の純粋の歓びを持っているのである。この純粋にして最高の報酬を、若い青年画家たちはできれば拒もうとしている。そして皆さんは、彼の若い頃に灰を浴びせ不名誉を与えておきながら、後年になって形式ばった月桂冠を持ってのこのこやって来るのだが、時すでに遅すぎるのである。露は葉から乾き去っているのに、皆さんはそれを彼の生気のない掌中に押しやるのだが、彼はただ物足りない気持ちで皆さんを眺めるだけである。いったい彼はどうすればよいだろう。彼ができることは、母の墓前に行ってそれを置いてくるだけであろうか。

これで皆さんは、若い青年たちに準備しなければならないことについて、おわかりになっただろう。それは第一には学校を探すかあるいは設置することで、次いで第二に安泰な雇用を与えることであり、第三に公平な称讃を与えることである。さらにもう一つ、彼らが十分に働けるように準備してやらなければならないのは、すなわち彼を高貴な語義でのたしなみ深い紳士に仕立て上げることであり、言いかえれば彼らが絵を画くときに最も高貴なものを見たり、感じたりできるような訓練を受けられるよう注意を払ってやることである。遺憾なことにわれわれの間でこのことは、芸術家教育の全般にわたり全く無視されている。そして青年の生まれつきの趣味や感情が純粋で真実であっても、また彼の中に紳士となるべき正しい資質があっても、彼の気持ちの中に紳士的訓練と文学的素養の欠けているためにきしみが生じ、題材を取り扱うのに堕落的要素のあることは、あまりにもしばしば認められる。このことはまさに、われわれの最大の芸術家であるターナー（J・M・ウィリアム・ターナー、一七七五〜一八五一。英国の風景画家でラスキンはその作品を非常に愛した）やゲインズボロ（トマス・ゲインズボロ、一七二七〜八八。英国の風景画家、肖像画家）のような人たちにも見られるが、第二級画家の評価をされてしまうとその者に与える弊風は論を俟つまでもなく、あまりにも悲惨な状態に陥る。それであるから、芸術経済の中で価値を左右する芸術知識を力強くするとともに、純粋にしようとすることほど重要なものはない。そのために、いつも最も心地よく美しい物を集めさせるのである。同一人の手になる同一量の労働でも、皆さんが彼を訓練した仕方によって、愛らしく有用な作品になることもあれば、あるいは卑しい有害な作品にもなるのである。その労働は画家の技量によりどれだけの価値があろうとも、終局の価値は国民に対し歓びを与えるとともに、人格を高め洗練させる力があるかにかかっている。そして、芸術の至宝の名に値する名画とは、実に善良な人の手によって描かれたものに限られるのである。

私が、この問題を拡大していくならば、これがどこまでいってしまうのか私自身も見当がつかない。よって私は、他日別の首題として取り上げようと思う。ここでは、若い時期の画家が危機に頻したときに画家たちのために自由で規律ある教育を実施するために国民によって資金を投ずることが最もよい方法であり、画家の生涯を通じての能力の大部分は一般社会の要求する題材の種類いかんにかかっており、社会が彼に平生なじもうと思う思想の種類のいかんにかかっている、ということだけを指摘しておきたい。なおこの問題については、公共建築物においてどんな雇用があるべきかについて考えるときに詳しく述べたい。

天才の発達に関連したことを説明しようとすると、これまで話したことと同じくらい重要な事項がまだほかにたくさんある。これを詳しく述べようとすると二回ではすまず、皆さんには六回くらいは来場していただいて講演を聞いてもらわなければならない。たとえば種々の手工業に従事する職人たちのなかには高度の目的に貢献する天賦の才こそ持っていないが、機知やユーモア、色彩感に富み、形状の面白さの追求に意欲を持つ者がいる。そのような職人をどうやって探したらよいかについて、まだお話ししていない。彼らの知能の量は商業的価値を持ち、鉄細工、陶器、装飾的な彫刻や同種のものの下級芸術の中に、多少とも表現されている。しかし、興味ある問題ではあるが、詳しいことは皆さん自身の考察にまかせるか他日機を見てのことにしたい。私はここでは、皆さんの前にこの問題全体の事実を広く展開するだけにし、詳細な説明はその大体を理解する程度にとどめたい。したがって第一段階はこの程度できりあげ、第二段階すなわちわれわれが発見した天才をどうやって職につけさせるのが最善かという点に移ろう。ある一定量の能力を持った手や頭があり、それらに課すべき最も賢明な方法については、われわれの判断にまかされているのである。

適用

経済学者は、適用という問題について、三つの重要な点があると言っている。
一、天才青年を多種の仕事につかせる
二、やさしい仕事につかせる
三、長続きする仕事につかせる
私は、最後の項に皆さんの注意をひきたいので、最初の二つの項目については簡単に触れたい。

私は、第一に種々の仕事につかせると言った。風景画家として同じ技量を持った二人の男がいて、皆さんはその二人に各一時間を自由に課することができると仮定しよう。皆さんは、二人の画家に同じ風景画を描かせることはしないだろう。同じ題材の繰り返しでなく、二つの異なった題材で描かせるであろう。また二人が彫刻家だとしても、同じ法則が適用されるのではなかろうか。皆さんは直ちに当然に、そうさせるだろう。しかし、現代の建築家にそれを納得させることはむずかしい。彼らは二〇の柱頭飾を彫るのに二〇人の職人を働かせて、同じものをつくらせようとしている。もし、私が進行中の英国の建築家の工場をすべて公開できたならば、多分幾千という器用な男たちが、同じデザインの彫刻に従事していることを見るであろう。芸術的才能を劣化させ沈滞させるこの国のこうした習慣については以前にも多少言及したが、これがために「仕事」への対価を上昇させる明らかな傾向を持っていることについては、今まで論じたことはない。人に他人と同じ装飾品を彫刻させるために継続して雇用するなら、その者の労働習慣は単調で惰性的になるものである。それは、まさに石切りや家の壁のペンキ塗りについても言える。もちろん彼らは容易にそうし続けるし、またもしあなたが労賃を上げてやれば、その刺激で一時的には彼らから多くの成果を得ることができるだろう。しかし、このような刺激がなければ人は惰性で働くことに慣れきり、必然的に人間の本性に従い決まり切った手順と速さでしか仕事せず、与えられた時間内に最大の成果をあげる努力などしなくなってしまう。もし皆さんが彼らがデザインを変えることを認め、彼らが知的にも情的にも関心が向くようにすることを認めるならば、彼らは自身の着想を表現しようと情熱を傾けるようになり、その表現を完成させようとするのを見るだろう。そうして精神的活力は活気を帯び、生産は最大限に促進し、費用は低下する。私がオックスフォードに行ったとき新美術館の建築家のトーマス・ディーン卿にきいた話だが、卿は一様なデザインの柱頭飾をつくるより多種多様なデザインのものをつくらせたほうが、双方の手間は同じでも三〇パーセントは安くできると語った。

　つまりは第一の方法は、皆さんが皆さんの知性を十分に活用することである。そして経済学上のこの平明な法則を単に遵守するだけで、今日われわれが思いも及ばないような建築界での崇高な革命をもたらすことになる。次に冗費を防ぐ第二の方法は、目的を達するのに最も容易な、しかも早く達成できる仕事を彼らに与えることである。たとえば、大理石は耐久力においては花崗岩同様に強いが、細工をするにははるかに柔らかい。だから、良い彫刻家が得られたときは、彼の仕事には花崗岩でなく大理石を与えるべきである。

皆さんは、そんなことは明白なことだと言うであろう。その通りである。しかし、ガラスは柔らかいうちに成形すればよいのに固くなってから細工して、年々職人の時間をどれだけ浪費しているかは、あまり明らかになっていない。同じ職人が砂岩や軟石を意味のある形に切れるのに、同じ職人が最も固いダイヤモンドやルビーを意味もない形にカットするのに、どれだけの費用を空費しているかについては明白でない。水彩画からすぐれて上品な絵がわずか十分の一の時間でつくれるのに、イタリアの画家に依頼して石のくずを膠《にかわ》で貼り付けみっともない小さな絵をつくらせるのに、どれだけ莫大な浪費をしているかは、明らかになっていない。

私は、こうした商業上の大きな誤りの実例を、際限なくあげることができるが、それは皆さんに退屈と混乱を招くにすぎないだろうから、この項目は皆さん自身の考慮にまかせ、私は最後の問題すなわち今夕皆さんにご辛抱願おうと思っている最後の問題に進みたい。すでに述べたように、われわれが天才をどのように活かすのかについて経済学者として三つの方面から考えている。

すなわち、

一、多種な仕事に

二、やさしい仕事に

三、長続きする仕事に

この、仕事の継続性ということが最後の問題である。

皆さんは多分ご記憶のことと思うが、ミケランジェロがピエトロ・ディ・メディチから雪で肖像をつくることを命じられ、彼はその命に従ったことがあった。【注】

私はこの愚昧な貴公子の心にそんな気紛れ心が浮かんだことを喜んでいる、いや皆で喜ぶべきだと思っている。ピエトロ・ディ・メディチはフィレンツェ芸術の最盛期に国家としてのみならずフィレンツェ共和国の統治者として指導を任された天才に対し、できる限り完全で正確かつ強烈な誤りの典型を犯したからである。皆さんはミケランジェロが示した最も完全な服従の中に、鉄のような独立心を持ちながらなお擁護者の意志に完全に服従し、いかなることでも望まれるままにできる限りの力を奮って、最高度に完成ししかも最も独創的であるような、最も大きい天才を見ることができる。そして彼の支配者であり指導者であり擁護者である人は、雪の彫像をつくらせそれらを雲とし地球から消え去らせようと、無益な仕事をさせたのである。

【注】「カサ・ギジーの窓」の中の、この伝承に関するすぐれた一節を参照のこと。この物語の著者はG・バサリ（一五一一―七四。イタリアの画家）。バサリによれば、この伝承はピエロ・ディ・メディチのことだという。ピエロは、長年ミケランジェロと親密にしていたロレンツィ・ディ・メディチ（一四四九―九二。大ロレンツィオとも称された。ルネサンス期フィレンツの最盛時メディチ家当主で芸術・学問の大パトロン）の相続人で、彼はカメオやその他の古美術品を贖うときはしばしばミケランジェロを呼びつけた。ある冬の日フィレンツェに大雪が降った折り彼はミケランジェロに、彼の庭に非常に素晴らしい雪の像をつくらせた。

（このくだりは原文では Pietro di Medici としているが、原注でも触れているようにピエロ・ディ・ロレンツィオ・デ・メディチ Piero di Lorenzo de' Medici のことと思われる。ピエロは一四七二―一五〇三。ロレンツィオの長男で、一四九二年二十歳で家督相続したが統治に失敗し二年後フィレンツェを追放され早世した。不運のピエロ、愚昧のピエロともいわれる。ミケランジェロの生年は一四七五年で、一四八九年にはロレンツィオの庇護下に入り、二十代で芸術家としての名声を博した）

さてピエトロ・ディ・メディチによって、かくまで正確に完全に行われた仕事は、実はわれわれ一同が現にやっていることなのである、すなわち同じ程度にわれわれは保護の名の下に消耗しやすい材料を用いて製作するよう指示している。われわれが画家に色褪せやすい絵の具で絵を描かせたり、不完全な構造で建物を建築家につくらせ、ほかのことでも永続性や後日の使用の便などは考えずに、望むものをつくるのに入手に容易で安価であることだけをめざしている限り、われらがミケランジェロに雪で彫刻させるのと少しも変わらない。芸術経済学者の第一の義務は、いかなる芸術的才能も単に白霜のように輝くばかりでなく、色ガラスのように良く焼かれ石の柱と鉄の帯の間にはめこまれ、幾世代もの間日光に耐え、日光を透すように配慮することである。

けれども、経済学者の中には、私の言うことをさえぎり、「あなたが、もし、芸術品をあまり長持ちさせるならば、やがて貯まりすぎ芸術家を失業させてしまう。適当に散逸させ破壊させて各時代に必要なだけの芸術品をつくらせるようにしないと、われわれはあまりにも多くの名画を持つようになり、その処置に困るようになるだろう」と言う人がいるかもしれない。

しかし聴衆の皆さん、経済学は他の学問と同様に、われわれが二つの問題を同時に解決しようとしても効果的に対処できないのである。どうすればたくさんの美術品を得られるかという一個の問題と、美術品がたくさんあることが有益であるかという一個の問題とは別の問題なのである。これら二つのことは別々に考えよう。これらを混同してお互いを混乱させてはならない。良い収穫をあげるために農場をどのように取り扱うべきか、ということは一個の問題であり、豊作になるよう願ったり穀物の値段を高く維持するかは別の問題なのである。またリンゴをたくさん実らせるにはどのように接ぎ木したらよいかという問題と、あまりたくさんのリンゴが貯蔵庫で山をなしそれが全部腐りはしないかというのは、全くもって別問題である。

さてそこでわれわれは、ピピン種のリンゴ（英国原産で一八二五年頃育成された主要品種）を接ぎ木して栽培することだけを話しているので、そのリンゴをどう始末するかについて話し合うのは控えさせていただきたいのである。われわれが芸術品をたくさん持つことが望ましいか、持たないほうがよいのかについては順次検討したい。今ここでは、われわれが望むだけの良い芸術品を十分に入手できるためにどうすればよいかということを簡単に考えるにとどめたい。また、本当に価値ある芸術的作品は五〇〇ポンドとか一〇〇〇ポンドくらいの値段はするものであるが同時に、中くらいの収入のある人が良い絵の一枚くらい持つことができても当然のことである。とにかくわれわれが、たくさんのもの、たくさんの穀物、たくさんのワイン、たくさんの黄金、あるいはたくさんの絵画を得るには、どうしたらよいかを確かめるのが、経済学の一分野であることだけは間違いない。

私は先程、第一の最大の秘訣は長続きする仕事をつくることだと申し上げた。長続きのする仕事には二つの条件がある。それは単に芸術品が長持ちする材料を用いなければならないだけでなく、作品そのものの本質も長続きするものでなければならず、歳月の経過にも耐えられるような、十分にすぐれたものでなければならない。もしそれが良い作品でなかったなら、われわれはすぐに飽きてしまって放り出し、収集の興味を失ってしまうであろう。であるから、どんな作品についても良い芸術経済家が発する最初の質問は「その香《かぐわ》しさは保存中に失われはしないか」ということである。天才の作品のように見えているが、その価値が今後百年たったならばどうであろう、ということが問題なのである。

皆さんはこのことについて、必ずしも確かめることはできない。最高の傑作だと思って手に入れたが、その価値が長持ちしなかったことに驚かされたことがずい分あったことと思う。しかし一つだけ確実なことは、あわてて製作された芸術品がたちまち滅びてしまうことは往々あり、今最も安いものが最後には最も高価なものになることもしばしばあるということである。

この種の滅ぶべき芸術に天才を従事させるといういまの風潮は、あたかも天才の思想をかがり火に投じて燃やし去ることで勝利したようなもので、残念なことである。多量の芸術的才能や労働が、年々安っぽい絵入り本に消耗されている。皆さんは、一ペニーの銭を投じてたくさんの木版画を手に入れることを結構なことだと思って得意にしている。とんでもない木版画も金銭も何でも、遊糸《ゆうし》（gossamer 草や茂みにかかった、あるいは秋の日などに空中に浮遊する細いクモの糸）に投資したのと同じで丸損になっている。いやもっと損しているはずだ。というのは、遊糸は皆さんの顔をそむけさせ眼をしばたかせるが、足を捕えたりころばせることはできない。しかし、悪い芸術はそれをすることができるし現にやっている。皆さんが悪い木版画を愛好して見ている限りは、良い木版画に興味を持てないからである。たとえば、チチアン（ティツィアーノ・ヴェチェッリオ。一四八八／九〇頃―一五七六。ヴェニスの画家）の木版画やデューラー（アルブレヒト・デューラー。一四七一―一五二八。ドイツのルネサンス期の画家、版画家、数学者）の木版画に出合ったとしても気にいらないだろう。とにかく、今日の安っぽい木版画を見なれているわれわれは好きになれない。にしても、われわれはそれらを、長くは好きにならないしなれずにいて、悪くて安い絵にあきればそれを放り出し、他の悪い安物を買ってしまう。そして一生涯悪い物を見続けていることになる。この拙速の安物をつくった作家は、実は完全な作品をつくることのできる者である。ただ、完全な作品を急いでつくることはできない。だからある程度以下に安くすることはできない。しかし仮に皆さんが今支払っている額の一二倍を支払って一シリングで一二枚の木版画の代わりに、一枚の木版画を手に入れたとしよう。その一枚一シリングの木版画は、美術品として十分価値があり見あきることはない。そしてそれは、良質の紙に良質のインクで印刷されており、長く扱っていても破損することもなく、一枚一ペニーの木版画は一週間もすると飽きてしまい、大部分は破り棄てられてしまう。あなたの一シリングの買い物は、素晴らしい買い物ではなかろうか。

とはいえ最上質の版画や木版画を買い込むことだけが、経済の実践ではない。肉筆の原画は木版画では得られないような、ある特質を持っている。そして多くの画家は、才能の最高の部分はペン画、鉛筆画、彩色画のいずれでも、原画でしか表現できない。これはつねにとはいえないが、第一流の画家は紙や画布にしか自らの天分を表現できないのである。したがって結局長期的には、原画を買うことが金銭を最大限活用することになる。先にも述べた原則によれば、最上品が結局のところ、おそらく最も安いものとなる可能性が高いのである。もちろん、原画はある一定の費用以下では製作することはできない。もし皆さんが、ある画家に六日間を要する絵を描かせたいと思えば、彼にパン、水、火を与え、六日間の宿舎を提供しなければならない。これが画家が皆さんのために描ける最低の費用であり、決して高価ではない。そして、芸術品の正直な取引において最善の買い物である。言いかえれば、購買者にとって安い買い物の真の理想とは、必要な日数だけのパンと水、それに英気を保てる十分な玉ネギも支給された、才能ある画家のオリジナル作品を買うことである。これが皆さんの金銭を最も有効に使う途《みち》である。いかに機械的に割の良い計算や商売上の駆け引きでも、価値ある芸術品を得るにはこれに優る方法は決してない。

こうした、獄舎の規律にも等しいほど極端に計算をしなくても、このような原画が全体として、最も安く良い価値を有しているということは、芸術経済学の一原則として肯定できる。しかし、一生産品としての価値が増すにつれて、それを耐久性のある材料で仕上げることの重要さも増してくる。そして、われわれは、現在の第二の大きな誤りに注目するようになる。それは、われわれが俗悪芸術の画家に制作させているだけでなく、悪い材料で描かせているということである。たとえばこの二十年来、多くの天才に水彩画を描かせてきたが、われわれは絵の具や紙が長持ちするかどうかということは全く度外視しているのである。大抵の場合、長持ちはしないものであった。たまたま描くのに良質の絵の具を使ったり、化学的な方法で長持ちする紙を使ったりすることはある。しかし、それは皆さんが少なくともそうしようと注意していたわけではない。私自身、描かれて二十年たった水彩画に破壊的大変化が起きているのを見たことがある。現代の製紙法の軽率さから判断すれば、アルブレヒト・デューラー（一四七一―一五二八。ドイツルネサンス期の画家。同名の父・アルブレヒトはルネサンス初期の金銀細工師）の版画は二百年後の今日でも安心して取り扱えるが、現代の水彩画はその半分の時間も経過しないのに、大部分は単なる白紙か褐色の紙くずになっている。そして皆さんの子孫は、軽蔑したように紙片を指にはさんで引き裂き、なかば嘲笑し、なかば怒りながら「十九世紀の人は、何と哀れな人たちなのだろう！　彼らは世界中を蒸気と煙とにむせかえらせ、仕事と称することをしながら、一枚の朽ちない紙すらつくれなかった」とつぶやくであろう。

そして、これは現時点における芸術経済上、軽視できないことに留意していただきたい。皆さんの水彩画家たちは、日々よりすぐれた良い作品を表現できるようになってきている。そしてその材料は芸術家の意にかなうように特別につくられたものである。もし、皆さんがこの永続性を得ることについて苦労する必要がなくなったならば、この種の作品に蓄積できる価値は、やがて国家の芸術的富の最も重要な事項の一つになるであろう。私は、水彩画はなべて紙の上に描くのではなく羊皮紙の上に描くべきで、これに適当な注意を加えればその画はほとんど不滅になると思う。しかし紙は、素早い仕事をするには非常に便利な材料である。しかしながら良質の紙は大した面倒もなしに得られるのに、それをしないのは限りなく不合理なことである。われわれの父権主義の政治の恩寵により私たちが期待するものを得られるならば、良質の紙が少年たちに供給されることを私は願おう。それには、政府が製紙工場を設立し現代の一流の化学者の監督の下に、全製造工程での安全と完全性に責任を負わせるしかない。こうして完全な方法でつくられた画用紙の隅に政府は検印を捺《お》し、一シリングを徴収すれば歳入にも若干の助けになるであろう。そして皆さんが一幅の水彩画を五〇ギニーなり一〇〇ギニーで買ったとき、紙の隅に政府の検印を見さえすればよい。そして一〇〇ギニーは着色されたボロ切れに対するのでなく真に絵画に対して払われたもので、余分の一シリングは保証料として払えばよい。そこには、専売制も統制も一切必要でない。製紙業者を政府と競争させ、国民が一シリングを惜しみ投機をしたいならばやらせればよい。ただ、画家にしろ購入者にしろ、良い材料を望むときには確実に得られるようにしておいてほしいのだが、現実にはそれができないのである。

私は官営絵具製造工場を設立すべきではないかと思う。ただ、必ずしも必要というものでもない。というのは、絵の具の品質というものは画家が紙よりも簡単に試験することができるからである。画家は誰でも、希望すれば耐久性のある絵の具を信用ある製造業者から入手できることは疑いもない。この問題を検討していくと、建築と現代建築法とに関連してくるので、今はこれを企てないつもりである。この件について、私は以前にお話しする機会があった（『ヴェネツィアの石』『建築の七燈』や『建築と絵画について』などの中でラスキンは意見を述べている）。

しかし、ここで看過できないことがある。たとえば衣服のように時間がたてば朽ちてしまうもの、食器のように腐りはしないが流行《はや》り廃りがあるものに、年々大量の思考や労働が注ぎ込まれている習慣のことである。私は危惧する。若く富んだ新婚夫婦がロンドンに家を構えるとなれば、彼らは新しい食器を買うことになる。親譲りの食器はとても立派なものだが流行遅れなので、新婚夫婦は一流製造業者から新品を買うのだが、そこで、古い銀器などは使徒をかたどったスプーンとか、チャールズ二世（在位一六六〇―八五）が愛らしい子孫たちの健康を祝して飲んだと伝わるカップなどを除いてはくず鉄として溶かされ、新しくつくりかえられて、派手やかに煌《きら》めくのである。こうしたことが金属器製造業者の間で流行っている限り、この国では彫金術はもはや存在できない。名声のある職人が自分がつくったものが半生も経たないうちに溶解炉に投じられるのを知ったならば、彼はどうしてカップや壺づくりに没頭できようか。考えてみてほしい、彼はやらないだろうし、皆さんは彼に依頼も期待もするべきではない。皆さんは安直に乱造した細工物しか望めない。こちらの把手に手際よく柄をからませ、あちらに足をつけ、最新流行の図案からとったヒルガオの花だったり、ランドシーア（一八〇二―七三。英国の有名な動物画家。トラファルガー広場のライオン像で知られる）のゲームカードからとった雉《きじ》の絵を刻んだもの、よく磨きをかけた保険会社の商標のような感傷的な一対の像や、テーブルの中央に置かれた、枝分かれする立体的で巨大な装飾スタンドであり、美しい娘の向い側に座ったのに、結婚披露宴の給仕人の誰でもが称賛するが、そのとんでもない装飾物に遮られて娘を見ることのできない若者は自分の不幸を嘆くのである。

　しかし、皆さんは、これを本当の彫金家の作品と思ってはいけない。元来、彫金家の作品というものは、永遠に存続させるために製作されるもので、その中に全精神と全気魄とをこめて製作されるものである。真の彫金家の作品が現存している場合は、後進の大画家、大彫刻家を教育する手段となっている。フランチャ（一四五〇—一五一八）は、彫金家であった。フランチャというのは彼自身の名ではなく彼の師匠の宝飾師であったが、彼の絵には彼の師匠を敬慕していたために、いつも〝彫金家フランチャ〟と署名していた。ギルランダイオ（一四四九—九四。フィレンツェの画家、美術家）も彫金家であり、ミケランジェロの師匠であった。ヴェロッキオ（一四三五?—八八。イタリアの画家、彫刻家）も彫金家であり、レオナルド・ダ・ヴィンチの師匠であった。ギベルティ（一三七八／一三八一?～一四五五。フィレンツェの彫刻家）も彫金家であり、かつて、ミケランジェロに「天国の門を見まごうばかり」といわせた青銅の門（サン・ジョヴァンニ洗礼堂の「天国への門」）を製作した人である。【注】

【注】彫金家の作品が、青年芸術家にとって、非常に役立つものであるという事実には、いくつかの理由をあげることができる。第一は、一定期間堅い材料を取り扱うために腕を丈夫にする。第二に慎重さと不動心を養う。紙とチョークを与えられた少年は、ただちに書きなぐって遊ぶ誘惑に駆られるが、黄金の上になぐり書きはしないしそれで遊ぶことはできない。最後に、素晴らしい繊細さと精度の高い加工を与え、素材の貴重さに対応するすぐれた意匠と仕上げを目指すようになる。

しかし、皆さんが、こうした古《いにしえ》の名匠の作品に匹敵するような作品を再び入手したいと思うならば、皆さんは、たとえそれが不運にして流行遅れのものであったとしても、保存しなければならない。決して壊したり溶解などしてはならない。そのようなことは決して経済というものではない。皆さんには、それほど嘆かわしい知性の浪費などができようはずがないのである。神ならば望むままに彫金家の作品を毎夕ごとに溶かし、毎朝ごとに浮彫のある黄金の延べ棒に再生するかもしれない。しかしあなたがたは断じてやってはならない。真に貴重な金属器を持つ方法は、絶えず新しい作品を加え持つことで、それを溶かしてはならない。結婚祝いとして金や銀の新しい品を買いたいと思うならば、それは常に心意気のある職人によってつくられたものにし、あなた所有の宝飾に加えるが良い。それは、黄金が永遠に不滅なものとしてつくられた物の主な一つだからである。われわれ経済学を多少とも学んだ者なら、黄金を通貨とするのは未開の民族くらいなことはおわかりであろう（財産の性質についての補遺八＝一七五頁）。しかし、黄金が他の物とともにわれわれに与えられたのは、立派な芸術品と不滅不朽の輝きをもたらすためであり、最も豊富な想像力を持つ芸術家が、彼らの創造意欲のおもむくままに掘り出し、延ばし、かたちづくることができる粘り強さを与えられた希有《けう》な材料なのだと気づかれるであろう。

さて、世の富豪たちが利己心を離れて楽しむような、装飾的な芸術の分野もある。もし彼らがすぐれた芸術を求めるならば、彼らは金や銀の板を買うことによって実現でき、それは若い芸術家の有益な教育を支援することになるけれども、装飾的な芸術には別の分野もあるが、少なくとも現状においてこの方面の道楽に耽《ふけ》ることは誰の利益にもならないゆえに、残念ながら言及することはできない。それは、偉大で精巧な服飾美術のことである。

そして、ここで経済学の一原則を述べるために、しばらくの間一、二の主題の探求を中断しなければならない。この原則は現在、科学の指導的学者たちによって主張されているが、残念ながら富の管理権を持つような人の大多数にはまだ実行されていないことを憂えるものである。われわれが金銭を消費するときはいつでも、人々を働かせることになる。実際は誰をも雇わずとも金銭を失うこともあるが、長期的には賃金の率に応じて多少なりともわれわれの消費する合計額に比例して人々を働かせることになる。さて無知な人々はいつも誰かしらを雇って金銭を消費し、それを善行のように考え、満足している。さらに金銭を消費するということは利己的な贅沢に見えるけれども、実は利他的に金銭のすべてを配分して使いきってしまうことと同じくらい善い行いなのだと思っている。私は、何でも新しい需要を喚起さえすれば、社会に良いことを与えるということを経済学上の一原理だなどと愚かな人々が公言しているのを聞いたことがある（補遺・五＝一六七頁）。私は十分に反論するような言葉を持たない。いや少なくともこの世間における誤解の不合理さと有害さの程度の評価を言い表わすような十分に強い言葉を使ったならば、皆さんは驚いてしまうであろう。だから自制して、厳しい言葉は用いず新しい需要の性質とそれの及ぼす影響について簡単に述べてみたいと思う。

われわれはどんな目的であっても金銭を使うときには、人々を働かせることになると仮定しよう。そして、彼らにさせる仕事がはたして等しく健康で良いものかどうかという疑問はしばらくの間措いて、われわれが一ギニーの金銭を使うときにはいつも、同一人数の人々を一定期間健康的に扶養できるものだと仮定しよう。しかし、われわれは、その期間はすべてこれらの人々の労働を完全に左右できるのである。われわれは彼らの主人あるいは女主人になり、彼らにある期間内にある品物をつくることを強要する。さてそれらの品物は有用で永続きのするものであるか、あるいは無用で壊れやすいものであるか、あるいは社会にとって有用であるか、あるいはその人だけに有用なものであることもあろう。そしてわれわれが利己的で愚かな人間であるか、道徳的で思慮深いかは、金銭を使うことによってではなく善行に使うのか悪行に使うのかによって示される。われわれが賢明で誠実であるということは、一定数の人々を与えられた期間扶養することではなく、彼らにその期間自分たちだけに有用であるのでなく、社会に有用な物を生産せしめたかによって示される。

たとえばあなたが一人の若い女性であって、ある時間ある人数の裁縫師を簡素で着やすいドレスを一定数つくらせるために雇ったとしよう。仮りに七着として、そのうちの一つを冬の半分は自分で身につけ、他の六枚は着る物もない貧しい少女たちに与えたならば、あなたはあなたの金銭を利他的に使ったことになる。しかし同数の裁縫師が同じ日数、四枚いや五枚いや六枚をあなた自身の舞踏会服につける美しい裾飾りをつくり、その裾飾りはあなた以外の誰も着られず、一回の舞踏会以外には着ることができないようなものだとしたならば、あなたはあなたの金銭を利己的に使ったことになる。どっちにしても、同数の人たちを養ったことになるが、一方ではあなたは社会の奉仕のためにと采配したのに対し、他方ではあなた自身のために完全に消費したのである。私は全く利己的に金銭を使ってはいけないとは言わない。あるときには自分自身のことだけを考え、できるだけ美しく着飾ろうとしてはいけないとは言わない。ただ虚栄と慈善を混同してはいけないし、皆さんが着飾ることが生活に困る人々の飢えた糊口《ここう》をいやすものだと考えることで自分を偽ってはいけない。それは間違っている。皆さんは否応なしに時には本能的に、次のように感じることがあるに違いない。街頭で寒さに慄《ふる》えながら佇《たたず》み、あなたの馬車から降りようとしているあなたに視線を送る者たちがおり、あなたの美しいドレスが彼らの飢えを救うのではなく、反対に彼らの飢えを招いていることを、あなたは知っているのである。

これらの美しい装いに関する、経済学上のすべての真の意味は次のとおりである。皆さんが一定数の人を一定期間、奴隷使用者の厳格さで飢えや寒さのなかに完全に皆さんの監督の下に置いて、彼らに対し「私は君らに食料、衣服、燃料を与えよう。しかしその期間、君らは私のためにのみ働かねばならない。君らの弟たちは衣服も必要だろうが、やってはならない。病んでいる友達が必要としている衣服も、彼女にやってはならない。君ら自身も間もなく、もう一枚の暖かい衣服をほしくなるだろうがそれもつくってはならない。君らは、私のためにレースとバラ模様以外はつくってはならない。これから二週間、君らは模様や花びらづくりに働かなければならない。そしてそれができあがったら、私は一時間で着汚してしまうつもりだ」と言うに違いない。皆さんは多分、次のように答えるだろう。「こうした行為は特別に慈善的だとは言われまい。それにしてわれわれも、そう言うつもりはない。しかしとにかく、彼らに賃金を払っているのだから、ならば彼らの労働を取り上げても悪いことはあるまい。われわれが彼らの働きに賃金を払っていれば、われわれはそれに対して権利を持っている」と。

いや千回でも言うが、そんなことはない。なるほど皆さんが報酬を支払った労働は、購買行為によって皆さん自身の労働となっている。皆さんは労働者の腕と時間を買い取った。彼らは正当な権利によって皆さん自身の腕であり時間である。しかし、ただ皆さん自身の利益だけのために皆さん自身の手で仕事をするために、自分の時間を費やす権利を持っているだろうか。購買行為によって他人の力を自分自身に投資し、他人の生命の一部を自分自身の生命につけ加え、皆さん自身の利益のためにだけ費やす権利があるだろうか。もちろん、ある範囲までは彼らの労働を皆さんの歓びのために用いてもよい。私はなにも華美な衣服や物々しい装身具に対して、全面的に反対しているのではないということを覚えておいてほしいが、美しい衣服が個人の趣味や性格に影響を及ぼす重要さについて、いくつかの理由で現時点ではそれほど関心を持てないのである。しかし皆さんは、これら労働者に皆さんのためにつくらせようとしている物の価値を、その物自体の明確な価値標準に照らして評価しなければならないと申し上げる。その生産された物品それ自身の価値あるいは望ましさは、皆さんの思いやり如何にかかっており、それをつくるために人々を皆さんが雇っていたという事実には何の関係もない。しかし皆さんのまわりに寒くても着る物がない人がいる限りは、疑いもなく結局華美な衣服は罪悪なのだと極言したい。当面われわれが人々を働かせる良い仕事がない限り、彼らにレースをつくらせ宝石を刻ませることは正しい。しかし、寝るのに一枚の毛布もなく身にまとうボロもない人のいる限りは、毛布づくりや衣服の仕立てをさせるべきであり、レースづくりに従事させてはならない。

若者や無思慮な人たちの目をくらますような刺繍の派手な衣装の下に、あふれんばかりの慈悲のおだやかさが豊かに鼓動しているのは奇妙なことである。華美絢爛の服装をまとった人たちがみな、慰めはまず第一に悲しめる者に与えられ貧しい者に向けられなければならないと言っているのは奇妙なことである。ここでしばらく、地上の仮面をかぶった人間という者たちの間を目に見えない姿で歩きまわっている真理の精霊と恐怖の精霊が、われわれの誤った思想の薄暗いヴェールを取り去ることについて話をしようではないか。もし盛装した者らが費やした額の合計額があれば、荒地や路頭で家のないたくさんの浮浪者が絶えだえの息を吹き返すであろう。盛装した者らは、文字通り死に神の友となり死に神の略奪品を着ているのだ。しかしもし、皆さんの思考からのみならず皆さんの人間観を覆っているヴェールが取り除かれたならば、皆さんの純白のドレスの上に、奇妙な黒点や真赤な斑点があり、それらは大海のすべてをもっても洗い流せないものだということがわかるだろう。そうだ、皆さんの美しい頭を飾る冠の美しい花の間や、束ねた髪の毛に映える花の間に、誰も思いも及ばないような墓場に生える一本の野草が絡みついているのを見るだろう。

しかし、私が今夕皆さんに提起しようと思ったことは、本問題について最後の極めて明快な、そして最もぞっとするような見解ではない。いずれの問題についてもその問題の根源まで行かなければ、その一部分といえども真相を究められないからである。しかしわれわれが、ここに特に考慮しようと思う問題の要点は、服装に大金を費やすことが慈善に反するか否かではなくて、それが単に世俗的にみて賢明であるかないかの問題であり、華美な服装が苦痛や飢餓をしのんでまで得るほどのものでないことを知れば、その華美な服装よりも他の物に付与したほうがより素晴らしいのではないかという問題なのである。いま仮にわれわれの服装の様式が真に優雅であり美麗であったならば、これはまさに疑わしい問題になるだろう。というのは人間性の本質を描写する活きいきとした芸術を所有したいという希望を持つ国にとって、真に優雅な服装は確かにある種の必要品で国民を薫陶する一つの手段だからである。服装が美しくなかった時代の人々には立派な歴史画はまだ存在しなかったし、存在できなかった。そして十三世紀から十六世紀に至る間の、愛らしく幻想的な意匠をこらした衣服がなければ、フランスの芸術もフィレンツェ、ヴェネツィアの芸術も、おそらくあれほどにまでは到達できなかっただろう。そして当時においてすら最良の衣服は決して高価なものではなく、その効果は多分に美しさによって決まるのであり、ボタンの豪華さや刺繡よりも質素とも見える着こなしと単純で愛らしい色あいとによっているのである。

われわれは、これらのより完全な服装の型に戻れるであろうか。疑問である。しかし現在着ている服装の形に使われたすべての金銭がいくら善良なる目的に使われようとも、その金銭が全部無駄になっていることには疑問の余地はないところである。このように言うものの、この善良なる目的の中に、私は心というものを数えるが、世の若い女性たちが時折抱く結婚という目的も含めているのである。しかし彼女たちは、けばけばしい服装をするより清楚な服装をしている方が、おそらくは賢明でより善い夫と早く結婚できるだろうと思う。私は彼女たちが見だしなみのために使う金銭をもってどれほどの影響を世間に与えられるかということを公然とはっきりさせれば、彼女たちが心中いかに欠点を蔵していようとも、その輝く瞳や束ねた美しい髪の魅力に頼るようになるのではないかと思う。私は、一度ロンドンの社交シーズンの統計を入手したいと思う。先週国会では、ヴェネツィアにあるパオロ・ヴェロネーゼ（一五二八―八八。イタリアのルネッサンス期に活躍したヴェネツィア派の画家）の傑作に、一万四〇〇〇ポンドもの莫大な国費が投じられたことに関し少なからざる論戦があった。私は、英国民は舞踏会の衣裳のためにどれだけの費用をかけているのか！　と反問したい。ロンドンのご婦人用仕立屋の四月から七月にかけての裏地布やひだ飾りのような不必要な裂地《きれじ》に対する請求書を見られるならば、はたして一万四〇〇〇ポンドでまかないきれるだろうか、おおいに疑問である。しかも裏地やひだ飾りの裂地は、今頃までに失われ、昨年の雪の如くに消えてしまっている。ヴェロネーゼの絵は、手入れさえよければ何世紀も長持ちするのに、虚栄のための支出には何も不平を言わない。絵画のために払われた値段には文句を言いながら、何も善い事をしていないのである。

われわれが、雪像をつくったり滅びやすいものに労力を浪費するような振る舞いについて、これ以上説明する時間がない。この問題は、あらかじめ申し上げたように、皆さん自身の研究に委ねたい。そして、われわれの問題の他の二つの分野、すなわち芸術の蓄積方法と分配方法の検討に進みたい。これまで、わが国および他の国でのすぐれた管理という問題について語ってきたので、話を終わるに際しては、古代美術から実例を引いてもう少し説明したい。明晩は、道徳的あるいは商業的のいずれでも、われわれが日頃思っている以上に価値のあるものだということを説明しようと思う。

イタリアのシエナの市公会堂にあるアンブロージョ・ロレンツェッティ（一二九〇？―一三四八。十四世紀のシエナ派を代表する画家）の描いたフレスコ壁画の一つ〝Good Civic Government〟は、善良なる政府と善良なる一般管理の原則を象徴的な形象で表現している。この気高い市政府の管理を表徴する像は玉座に据えられ、その周囲はその権力を様々に支持したり貢献したりする諸徳を表現する像で取り囲まれている。さて、これらの諸徳の各々にどんな仕事が施されているかについて観察してみよう。信仰、希望、慈善という三つの翼をつけ、像の頭上を取り囲んでいる。これはわれわれ近代人が普通に考えるような、これら三徳が諸徳の中で冠たる位置を占めているという月並みの伝統的法則に従ったばかりではなく、画家に特殊な考えがあってのことである。善良なる管理者の思想を支配していることで表わされるような「信仰」とは、単に宗教的な信仰を意味するのでなく、治者にも被治者にも当時のすべての人に必要だと理解されるものである。しかしその信仰とは、逆境や不運にもかかわらず断固としてその仕事と遂行させる力を与えることを意味している。すなわち、それは大いなる原則に基づいた信仰であって、それによって為政者は正当な行為は常に正当な結果をもたらすことを信じ、普通の人ならばすぐに勇気を失ってしまうような一切の障害や暗黒を排除して、いかにその袖を引き耳に囁くものがあっても、自分が神意を信じる信仰を持っているので、何事にも耐え忍んでそのめざすところに我が道をゆく姿を表した信仰なのである。

そして、「希望」も同様である。ここでは、すべての人々の心を鼓舞するような天国を仰ぐ希望ではなく、善良なる管理者の側近に列して、保守的であるとともに将来に望みをかける希望を表したものである。すなわち、もし善事を希望することが止んでしまえば、現在の事物を賢明に守るということもなくなってしまう。それは、少なくともこの世界が続く限り現在の制度や所有

Good Civic Government

の状態には全く満足しないで、何もあくせくと性急に進歩に飛びつくというのではなく、人生の真の生命は高きよりさらに高きに向上することにあることを感じながら、いっそうの知恵と力を得ようという希望に満ちていなければならないことを示している。保守的ということは、古い物に頑固な保守的ということで、もちろん古い物に頑固な保守的なものであってもよいが、これは柱としての保守的なものであって、楼閣のような保守的であってはならない。すなわち、支えとなるべきで偶像であってはならない。そして国家的試練や不幸に遭遇した場合には、古《いにしえ》の女王のように国民を讃美したあの最初の有名な言葉である「彼女は、夜明け前に起き」（旧約・箴言31・

15）のように、光明の希望を抱いて活動すべきである。

次にまた、善良な政府に奉侍する翼の生えた慈愛の像は、このフレスコ壁画の中で特別な職分を持っている。皆さんはその意味を想像できるだろうか？　もし皆さんが、王位争奪のために王侯の間でしばしば生じた争いで王の権力を拡大し安定させるために疑問なくとられてきた利己的で暴虐的な手段に思いをいたせば、像に託された慈愛の職分が王者の冠を飾るためにあると聞いて驚くだろう。そして皆さんがもう少し思いをめぐらせれば、この職分を割り当てた考えの美しさを発見するだろう。その第一は、善良な為政者の権力は人民のために善いと望まれているものでなければならない。だから「愛」のみが王者に王冠を受けさせ、守らせるのである。第二に、王者の偉大さは主としてこの種の「愛」を実行することにあり、彼の行為や思想が愛の行使であるときにだけ、彼は真に尊敬されるのである。したがって愛は王冠の授与者であるばかりでなく、王冠の光である。最後に、彼の権力は人民の愛情に基づくものであるから、彼をして安全にそして永遠に王位につかせるものは、ただ人民の愛だけである。だから「愛」は王冠の光であるばかりでなく王冠の力なのである。

さて、王あるいは王の周囲には、第二次的な諸徳が現れている。「勇気」「節制」「真実」やその他の随従する精霊たちがそれである。私は、これらのすべてについて説明することはできないが、ただその中で国家の歳計の指導と管理を任されている精霊にだけは、ご注意を願いたいと思っている。皆さんはどんなものか想像がつくだろうか？　皆さんは慈愛が何かこれに関係あると思っているに違いない。いや違う、「慈愛」は実際を処理するには余りにも情熱があり過ぎるからである。「思慮」ということが、次に思い出されるかもしれない。いやそれはあまりにも慎重すぎるので、決断する機会を逸してしまう。では「自由」はどうであろう？　いや「自由」には少額の金銭ならばまかせられるが、彼女は計数は得手でないので国庫の重要な地位にはつかせられない。しかし財宝を預けようとするには、近頃他の徳と異なったものとして、あまり扱われていないある種の道徳が肝要である。そう、「寛大」である。心の大きさであり心の柔らかさや弱さではない。つまり包容力の大きい心である。それは一切を与え一切を受けいれるような天国の秤で計算するような「大徳」である。そして、最も高尚な方法で最も高貴なものにするにはどうすればよいかについて考えてみよう。二つの利益のあるものを比較して、よりよいものを選ぼう。二人の個人的犠牲があるならば、その大きいほうを甘受しよう。慈善の道を進むにしても、常に前途に青々とした野辺にはるばると開けるような道を歩み出そう。つきつめると、われわれが諸国民の中の「女王」を描写するのに、最初に用いた言葉でいえば、むしろ現在の力より遠い未来を約束するような性格である。すなわち、「彼女は力と気品を身につけ、ほほえみながら後の日を待つ」と（旧約・箴言・31・25）。

第二講　芸術の蓄積と分配

今夕、これから論じようとして残っている演題は、皆さんもおわかりのように、芸術品の蓄積と分配ということである。われわれの研究の全体は次の四部門に別れる。

一、いかにして天才を発見すべきか
二、その天才をいかに活用すべきか
三、その成果をどのように蓄積すべきか
四、その作品をいかに分配すべきか

昨晩は、その発見法と利用法について考察した。今夕は、その蓄積法と分配法について検討してみたい。

蓄　積

まず最初に、前講演でしばらく脇においた反論から取りかかるのがよかろう。すなわち、たぶん良い芸術品を持ちすぎるのは良くなく、あまりに安くつくられるべきではないという反論である。皆さんのなかで、より寛大な意見をお持ちの方々は、次のように言われるかもしれない。「いや、そんな反論は論破するのに、皆さんの手を煩わすほどのことではない。それはもちろん利己的な理屈である。良い芸術品は、他の良い物と同様にできるだけ安くつくられ、できるだけ多くの人が手中にできるものでなければならない」と。

ところが残念なことに、私はその説に賛成できない。私は、むしろ利己的といわれる反対論者に味方する。そして、芸術品はある程度以下に安価につくられてはならないと信じる。というのは、皆さんがどんな偉大な芸術品から受けられるような歓びの分量も、皆さんがその作品に対して注げるだけの注意力と精神力の量に全く比例しているものであるからである。さて、その注意力と精神力というものは、皆さんが極めて注意深く自分の心の動きを研究しない限りわからないほど、皆さんが想像する以上に物事の清新さに依存している。もし、皆さんが同じようなものや同じ価値のものを頻繁に目にするならば、それらに対する皆さんの憧憬は間違いなく低下し、関心も次第に薄れ、興味も熱意も萎《な》えてしまうだろう。そのような状態になっては、作品を鑑賞するのに必要な力を注ぐこともできないであろう。もしこの問題が、たくさんの絵を少しずつ鑑賞するのと、一枚の絵を十分に鑑賞するのとどちらが良いかという問いなら、いずれの場合も快楽の総和が等しいならば、あなたは合理的に、小さな一品より大量に所有するほうを望むかもしれない。というのは、一つには、一つの芸術作品は常に他の芸術品について何か教えるところがあるものであり、一つには、大量の芸術作品があれば破壊される可能性を減らすからである。

しかし、問題はこの種の単なる数学的なところにあるのではない。皆さんのばらばらに砕けた耽美《たんび》感の断片は、ひとところにまとめても一つの完全な耽美感にはならない。この場合2＋2は4とはならないし、4の近似値でもない。どんな良い絵、本や芸術作品でも、常にある程度までは囲い込まれ、厳重に収蔵されているものである。皆さんは、よく見かけるみっともない殻に包まれているが内部には美味な果汁や果肉で満たされたココナッツのようなものを考えてくれても良い。いま、皆さんが二〇個のココナッツの実を持っており、もし喉が渇いて殻に穴を明ける間の辛抱ができずに、ナイフで各々の殻に引っかき傷をつけるとする。しかしそれは、ココナッツの殻に傷をつけただけで結局二〇個のすべてから果汁を飲むことができないであろう。だがもし一九個のココナッツを残し、残る一個の殻に二〇個の切れ目をつければ、皆さんは十分に目的を達し果汁を飲むことができるだろう。しかし、人間の心というものは二〇個の切れ目を入れるまでに倦《う》んでしまい、他のナッツに挑もうとする性質がある。さらにもし、ナッツの殻を割るのに十分忍耐力があっても必ずやたくさん食べようとし、遂には喉をつまらせてしまうだろう。このことは、欲しい物を手に入れるには、相当の労力と相当の時間をかけなければ何も得られないということを示唆している。われわれは通常、働かずに夕食を食べることはできないし、働くことがわれわれに食欲を与えるのである。われわれは待たずして休日を得ることはできないが、待つことがわれわれに休日のありがたみを与えるのである。同様にわれわれは対価の支払いをしないで絵を得ようとしてはならない。その代価こそ絵を鑑賞する心を与えるものである。

いや、さらに進んで私は、書物でさえあまり安く手に入れてはならないとまで言いたい。読者が一年も前から書店の店頭にあるのを欲しいと熱望しながら毎日半ペンスずつ貯め、またおそらくは一日や二日の断食までして貯えた金銭で贖《あがな》う本の価値にくらべたら、どんな本も半分の値打ちもあるまいと私は信じる。これこそ、本の妙味を味わうための途《みち》なのである。そしてこの問題についてはさらに詳しく、ちょうどいまわれわれを悩ましている安価な文学書の流行に対しては、できる限り精力的に攻撃すべきである。だが、私は皆さんが読みたい本を私に注文するのを恐れている、なぜなら全員にそれらの良本を早く読めるように届ける方法がわからないからである。しかし、今ただちに実行できないことでも、それが最良の方法でありそれが望ましく、また可能であることだけは誰にもわかることであろう。もし、私がわがバラタリア島（セルヴァンテスの小説『ドン・キホーテ』に出てくる地名で、ドン・キホーテの従者サンチョ・パンサがその領主となり、種々な喜劇を演じたという島）の統治ができた暁には、どんな書籍でも一ポンド以下の値段では売ってはならないと私は約束する。もしそれ以下で出版できたならば、その剰余金はすべて領土の財政に繰り入れ他方面への課税分を除いて、一ポンドの支払いもできない本当に貧しい人々には、一定部数に限り無料で欲しい本を供給するつもりである。私は本の冊数についてはまだ決めていないし、その仕組みについてもまだいくつかの点で未定である。それらが全部決定した時には、もし許されるならば、私は再び当地に参り、文学経済論について改めて講演したいと思っている（補遺・六＝一七〇頁）。

ここで再び本題に戻って、チチアンやターナーの作品を秋の落葉のように降らしたいと思っている気前の良い皆さんがた聴衆には、「絵はあまりに廉価であってはならない」と申し上げたい。しかし、自分の持っている絵を資産と考え、価値を維持しておきたいと思っている人々には、「絵はあまり高い値段をつけるべきでなく、少なくとも現在よりはずっと安くしなければならない」と強調したい。というのは、現在英国で普通の暮らしを営んでいる人々が偉大な芸術作品を手に入れることは、まったく不可能だからである。相応な値段の現代絵画や一級品の版画の一枚くらいは多少の後ろめたさを感じながらも、少ない収入のなかからコツコツ貯めた金で買うことができるだろう。しかし名匠の手になる第一級の模範的作品となると、どうしても彼の手には届かない。そしてわれわれはそうした状態になれてしまって当たり前だと思い、その弊害をあえて取り除こうとは思わなくなっている。だが、その弊害は完全に取り除くことができるのだ。

それは、中世における良書に関して存在していた弊害と全く同一のものである。そして私は皆さんが今日良い絵を得られないことを当たり前だと考えるのと同じだと思う。皆さんが今日、偉大な画家の研究をしようとすれば多くの費用をかけずにはできない以上に、当時の人は大歴史家や大詩人の作品の研究はできなかった。一冊の本が欲しければ、人を雇って筆写させるか自分で書き写さねばならなかった。しかし印刷術が発明され、貧しい人々でも自分の本でダンテ（ダンテ・アリギエーリ。一二六五—一三二一。フィレンツェ出身の詩人、哲学者、政治家）やホメロス（紀元前八世紀頃の詩人。「イリアス」「オデュッセイア」の作者とされている）を読めるようになったが、それによってダンテやホメロスの価値が下がったわけではない。しかしほどほどの資産家が大作を所有し、研究することのできるのは文学だけであり、芸術品の大作は自宅では研究できない。経済学上の第三の目的としては、大衆の手が届く範囲にある程度の芸術品をもたらすことである。すなわち、現在よりもより大きなより多数の美術館を建設するとともに、資力と要望に応じて各人の家に美術品を分配することによって、美術の普及力を文学のそれに幾分匹敵する状態にまで到達させようというのである。そこで経済学者が取り組まなければならないのは、微妙な均衡を維持するということである。つまり、必要に応じて国全体に供給できるだけの芸術品を蓄積するとともに、過剰になりすぎて侮られないよう、分配を調整するのである。

もしもこの均衡がわれわれの技量だけにまかせられるならば、均衡を保つことは実に困難なことである。しかし過少と過多の間の中間の均衡こそは、賢明なる神の摂理によって正確に固定させるものである。もし皆さんが捜し当てられる天才を注意深く見守り、よい仕事を与えその作品を大切に保存するならば、皆さんは芸術品の余りにも少ないことを嘆くことはなかろう。他方においては、芸術家に対して日々のパンのために製作を急がせることなく、不完全なものを求めることなく、完全なものよりも見かけの良い仕事を求めたりすることがなければ、皆さんは美術品が多すぎるという心配をする必要はない。美術品の量産を強いてはならない。そして、法外に安く買うこともなかろうしむやみに破壊してはならない。そうすれば絵は高くなりすぎることもない。

「そんなものを誰がむやみに破壊するのか」と皆さんはおたずねになる。もちろん、われわれ皆がやっているのである。この論点は、私が先に主婦の経済について論及して「彼女の刺繍が虫に食われないように」という部分に相応している。皆さんはおそらく私が言おうとするものは、絵をより大切に保護する方法、清浄にしておく方法、装飾する方法、そして皆さんが旅行に出かけるとき、どこに安全に保管するか、といったことだけを話すのと思うかもしれない。いや、それは違う。私がお願いしたい最も大切なことは、絵を引き裂いたり踏みにじったりしないようにとお願いするのである。「なに！　われわれが、いつそんなことをしたか？　われわれは大切に保存しなければならないすべての絵画のために、完璧で立派な美術館をつくったではないか」と皆さんはいうであろう。そのとおり、保存のためにマンチェスターへ特別に送られた絵に対しては、そうしている。しかしマンチェスター以外にもたくさんの絵があり、それらを大切に保存することは皆さんの仕事であり私の仕事でもある。そしてわれわれは今日、代理人を使ってこれらをばらばらに引き裂いている。彼らは何者か、そしてどこにいるのかについてこれからお話ししたいが、先立ってこの問題に重大な関係のある経済学上の主要原則をもう一度述べたいと思う。

私は、どうやら視野を少し拡げ、皆さんに質問しておいたようがよさそうだ。さて英国においては立派な墓を建てる以上に金銭を浪費することがあるだろうかと。人が死んだとき故人に対する尊敬には、実に驚くべきものがあり、その思いの表現方法にはさらに素晴らしいものがある。われわれは故人への思いを黒い羽と黒い馬で表し、黒い衣服や光り輝く紋章で表し、また高価な方尖碑《オベリスク》や哀悼の彫刻で表しているが、それらはわが国の最も美しい大聖堂の過半を台無しにしている。さらに静かな芝生の敷地に殺風景な鉄柵で囲んだ地下墓所と、陰気な石の蓋をつくって感情を表現している。おまけに墓碑銘にはまことしやかな哀惜の心情あふれる虚偽の言葉を書きつらね、尊敬の念を表しているものも少なくない。この感情は富者にも貧者にも共通であって、現にわれわれの知っているところでも、棺の中の家族の一員に対し尊敬の念を証するためにほとんど破産するほどの金を使う貧しい家族がどれほどいるかを知っている。その人がまだ棺の中に入る前にはそれほど大切にしていたわけではないのに、貧しい老婆が死後に立派な葬式を出してもらいたいために望んで餓死することさえしばしば起こるのである。

さて、葬式に投じる費用は金銭を浪費する最も完全で特殊な方法の一つである。葬儀屋の羽根飾りの端から振り落とされる金ほど何の善事も生み出さないものはないし、なんらの利子も生じない。貧者にも富者と同様に死者を尊敬するのに、死者がどこに葬られているかを大きな石を置いて知らせるのでなく、石などは置かずにどこに葬られているかを忘れずにいることで、清い青草や憂いを含んだ花たちにまかせておき、さらに尊敬や愛の念は、われわれの手で建てられた大きな記念碑によってではなく死者自ら生前に建てた記念碑を置いておくことによって示されることが、すべての善良な経済学者や善人の責務である、そしてこの点が当面の問題である。

ただ注意すべき点は、生者と死者との間には産業ということについて、絶えず交換されるべき二つの大きな相互の義務が存在しているということである。われわれが生き、働いている間、われわれは常に後から生まれて来る者のことについて考えてやらなければならない。彼らができるだけわれわれに役立つ行いをするのと同様に、彼らにもまた役立つように考えてやらなければならない。そして、われわれが死んだとき、次の世の人々は感謝と追憶の情をもって、もし役に立たないだろうと思ったとしても、邪魔扱いしたり破棄したりせずに、われわれの仕事を受け継ぐ義務がある。そして、いずれの世代においても、「過去」と「未来」に対する二つの義務を果たすことによって、それぞれの度合いに応じて幸福であり、強くもあることができる。ある時代の仕事がその時代そのもののためになされた仕事であっても、次の時代のために用意するものがなかったならば、それが後代の人々の目にも善く気高くかつ快く感じられないものであれば、その時代の人そのものにとっても決して正しくなされた仕事ではない。そしてその時代の所有でも知恵でも、先祖から遺された宝や知恵が感謝の念と優しさで役立てられなければ、その時代にとって決して十分なものとは言えない。

なぜならば、もう一つ確実なことはこの世における最善の物や財宝はすべて一時代だけで生産されるものでないから、われわれは誰でも各々が自分の作品を溶け去ってしまうような雪で刻もうなどとはせず、絶えず大きな白い雪ダルマをころがし続け、人力が築くアルプスの頂に向けてより大きくしてゆけばよいのである。こうして諸国民の科学は父から子へ蓄積される。その各々は少しずつ学び知識を受け継ぎ、得たものにつけ加えている。諸国民の歴史や詩歌も蓄積されるものである。各世代も祖先の歴史や詩歌を遺産として大切にし、芸術もまた科学や歴史のように蓄積されるものである。現代の人の作品は古人の仕事にとって代わるのでなく、古人の仕事の上に建設される。およそこの世界で偉大で知的な民族がその経過した各時代でつくった芸術は、他の民族がいつの時代にも到底及ばないような独特の高貴な性格を持っている。そして芸術に関する神の意図は明らかに一つの大殿堂を打ち立てようとするものであり、粗い石も滑らかな石もすべて適所を得て日々に高く豊かに築かれ、天をも摩する大尖塔にすることが目的である。

さてこの世界を地球という形をした一大工場とみなして、今までにこの責務を少しも理解せず実行することができなかったと想像してみよう。またもしわれわれの周辺で仕事の上で争ったり闘ったりする代わりに、国民はお互いにその仕事に励み、あるいはもし戦争をしても、被征服者が記念としていた物を抹消したり破壊するかわりに勝利者の分捕り品を保存していたならば、世界の現状はどうなっていたであろう。またギリシャの優美な彫刻や寺院、ローマの広い道路やどっしりした城壁、中世の気品の高い感情豊かな建築物が、もし人間の単なる憤怒のために微塵に破壊されることがなかったならば、欧州の現状はどんな状況になっていただろうか。皆さんはよく時の大鎌とか時の歯というが、「時」は刈り倒すことも噛むこともない。うじ虫のように噛むのは実にわれわれであり、大鎌のように刈り倒すのもわれわれなのである。投げ棄てるのも消費するのもわれわれ自身であり、われわれはカビのようであり炎のようである。そして人間の霊魂というものは飛び去る道のない蛾《が》のように働き、燃え上がることのできないところでは隠れた炎となって周囲のものを焼き尽くすのである。これらの人知の宝物の失われた一切のものは、人間の破壊という努力によって完全に破壊されたのである。大理石は磨いた彫像にしておいてもパロス島（エーゲ海の中央、ギリシャの島で良質の大理石を産出する）の断崖と同様に二千年の昔から風雪に耐えるだろうが、われわれ人間はそれらを粉砕し自らの白骨に混ぜてしまった。今日まで建っていたであろう城壁や道路を一石も残らないように破壊して（新約・マタイ福音書24・2）、道のない砂漠と化したのは実はわれわれ人間だったのである。古代宗教の大聖堂も今日まで建っていたであろうが、その彫刻作品を斧《おの》やハンマーで打ち壊し舗道には野草を咲かせ、回廊に海風を歌わせているのは実にわれわれ人間の所業なのである。

皆さんは、多分こうしたことはすべて人類の発展のためには必要なことだったと考えるかもしれない。この点について論争することは望むところであるが、今はしておられない。しかし人類の発展のために今も必要かについて考えてほしい。皆さんは、十九世紀の今日なお欧州芸術の宝庫ともいうべき一帯の地方を戦場と化することが、欧州の諸国民にとって必要かどうかを考えてほしい。というのは現に私が話している間においてさえ、こうした破壊が進行しているのである。世界の広大な場所で現在も昔も行われていたのと同様に、その事業が行われているのである。たとえばガラス工場や陶器工場のような壊れやすい製品をつくる工場で、一日に一度すべての職人や事務員が作業場や展示室で喧嘩を始めたとしよう。まず蒸気を吹き出させ手当たり次第に機械を壊しすべての食器棚で防塞をつくり、陳列台の攻防をする。勝ち組は最後には勝利を誇示するために窓から手当たり次第に投げ出してしまう。そして哀れむべき主人公が跡始末をしに来て、こちらの茶碗やあちらの柄などを拾い集めているようでは繁昌しているといえようか。まことに何とも素晴らしい商売ではないか。そして世界の大工場がその仕事として実行しているのは、まさにこのありさまなのである。

ここ六、七百年来、政治紛争といえば一つとして最も貴重な芸術の中心地において起こらないものはないように見えたが、その有様は今日においても依然変わっていない。たとえば私が世界の地図の上で今日、芸術教育と芸術上の宝庫に関する最も顕著な蓄積を持っている地方を指示せよといわれるならば私はヴェローナの街を指摘する。もちろん他の都市にも持ち運ぶことのできる芸術品はたくさんあるが、光輝ある地方芸術や芸術の源泉や根本となるものをこれほどたくさん持っている都市は他にはない。しかもそこにある美術品はとうてい荷造りや運搬のできないものであって、悲しいかなそれは救出することのできないものである。ヴェローナには第一に決して最大ではないが最も完全で最も特徴の表われているローマ風の円形闘技場も現存し、円形階段も今日なお壊れずにあり円天井やアーチまで現存している。また市中には小さなローマ時代の記念碑、門、劇場、風呂、寺院の廃墟などがあり、その郊外の街々にローマを除いては決して見られないような古代的特質を与えている。しかし第二にヴェローナには、ローマには見られない偉大なる十二世紀のロンバルト風建築の完全な標本があり、これは実にイタリアの中世芸術のすべての源泉となるもので、これなくしてはジョット（ジョット・ディ・ボンドーネ。一二六七頃—一三三七。フィレンツェの画家、建築家）もなく、アンジェリコ（フラ・アンジェリコ一三八七頃—一四五五。初期ルネッサンスの宗教画家）もなく、ラファエロ（ラファエロ・サンティ一四八三—一五二〇。最盛期ルネッサンスの大画家。古今無比の天才の称あり）も、あるいは生まれ出なかったかもしれない。この街にはそうした建築が決して粗雑な形ではなく、いまだに到達できなかったような最も完全で愛すべき形のものを保っている。それらは荒廃もせず改造もされず、原形のわからないような断片でなく、教会の中では玄関から奥室まで活きいきとした彫刻を持ち、その柱はしっかりしていてその継ぎ目はゆるんでいない完全なものである。これらの他にこの街には、偉大な十三、四世紀のイタリアのゴシックの建築の標本が含まれている。それは単に完全であるばかりでなく、どこも匹敵できないものである。ローマではローマ式の、ピサにもロンバルト式の建築は、偉大で同様に気品を持って現存するが、しかしローマにもピサにもフィレンツェや世界のどんな都市にも、ヴェローナのゴシックの建築のような偉大な中世ゴシック建築はどこにも見られない。他の地方においては型が不純であるか仕上げが立派でないかである。ただヴェローナにおいてのみはゴシック建築の若々しい力に満ちた純朴さや完成された美の優しさがみられる。最後に、ヴェローナの街にはイタリアルネッサンスの最も愛すべき建築がある。それは、高慢によって傷つけられず贅沢によって汚されず、純真な形で住宅としての実用に適しているとともに、わざとらしさのない優美さから生まれる晴朗さとひかえめなつつましさをそなえたものである。その最も素晴らしい成果は、狭い裏通りや静かな庭園に向かって開けられた窓に見られる。ヴェローナの街がそなえるすべてのものは、人間の住む地球上のどこにも存在しない。荒々しいアルプスの河が足下で泡立ち、その岸辺に聳《そび》え立つ大きな新月形の岩の上にはうっそうとした糸杉が生い茂り、暗緑色の霧の中にかすんでいる。この街の南門からは森が点在するイタリアの平原が、黄金の光の中にかなたまで続く。街の北と西にめぐっているアルプスの山々は、荒々しい軍隊のように群立し、ベナーコ湖（ガルダ湖）の面《おもて》を吹く風はアルプスの雪を含んだ冷気を吹き送る。

このような尊きものをそなえた街、それがヴェローナである。だがここでは、イタリアの国運を左右する決戦が絶えず行われた（ナポレオン時代はフランスの治世下におかれ、一八四八―四九年の第一回イタリア独立戦争および一八六六年の普墺《ふおう》戦争における墺伊《おうい》両軍の戦いでもヴェローナは枢要の地であった）。ヴェローナの諸塔はアルコレ（ヴェローナ近郊の沼沢地で一七九六年十一月、ナポレオンがここで墺軍と戦い大勝した）に砲列を敷いていた野砲の響きに三日間震動した。ミンチオ河に積み上げられた小石の山は、今もなお残塁の列となって、ヴェローナの平野を両分している。ここで戦いの潮目が変わり、ノヴァーラ（イタリア北部の都市でスイスやフランスとの商業・交通の拠点として栄えた。一八四九年第一回独立戦争で墺伊軍が衝突した）まで打ち返した。そして、かつてはヴェローナ東方の断崖、新月形の岩の上から、満月が燃えるような夏の夕暮れに糸杉の枝の間から昇る銀色の光がヴェローナの街のバルコニーのバラ色の大理石に柔らかくさしかけたのだったが、いまは周囲をとり巻く岩山の峰に沿って青白い別な円形の輪が次第に数を増し、非情にも野砲の弾丸を受けている、城壁に囲まれた塔を黒く浮かび上がらせるのである。イタリアの丘は雷雲が覆い、あたかも神の怒りのブドウ酒の搾り汁が、山肌を暗く恐ろしい紫色に浸していくかのごとく岩という

Landscape from the Heights above Verona（ラスキン筆）

岩、枝という枝をどす黒く侵していった。私はかつてイタリアで森の梢が裸になるまで、まるでイナゴがぶつかったかの如く雹《ひょう》が降ったのを見たことがある。しかし生命の息の一吹きがヴェローナの街に再び吹きかけられることはなく、白い雹もイタリアの空から再び降ってくることはなかった。黒い雹は地獄の雲から降るものなのであった。

悲しむべきことに、私は、皆さんが地獄の黒い雹を防げるとはいわない。また、皆さんはオーストリア軍をイタリアから追い出すことも、彼らが選ぶ所に城塞を築くことも防げない。けれども、私が敢えて言おうとするのは【注】、皆さんや私やわれわれのすべてが、これらのことを十分に理解しそのうえで行動し思慮をめぐらせるべきだということである。そして、革命を煽動《せんどう》したり政府を弱体化することなしに無用の破壊を防止するために、われわれ自身の意見を表明し支援を与えることである。

【注】皆さんは、英国における第一回美術大展覧会（一八五一年開催の最初の万国博覧会。別称・水晶宮博覧会）を機にブラウニング夫人（エリザベス。一八〇六―六一。イングランド出身。詩人のロバート・ブラウニングの妻）がイタリアのためにつくったあの美しい詩をおそらく思い出されるであろう。


おお、東や西の博士たちよ、あなた方の捧げた香や黄金や没薬は何と素晴らしいものでしょう（新約・マタイ福音書・2）。

あなた方はキリストのために、他の人々とともにどんな贈り物を持って来られたのか？

あなた方の手でつくった物は上手に出来ているが、みなさんの勇気は、その手仕事にのみ使われたのですか？

心の豊かな国民の皆様、人々が仕上げ、贈るような、そしてキリストが受けて喜ばれるような最上のものは何一つ持っていないのですか？

心豊かな国民の皆様、夜でないのに闇に閉ざされている者の上に注がれている貧者の上に注がれるような最上のものは何一つ持っていないのですか？

心のねじけた子どもたちを癒す薬はないのですか、キリスト様、薬はないのですか？

掟をつくった男たちのために、むせび泣く女たちに救いの手はないのですか？

淫蕩の誘惑を国民の電光で燃し尽くせないのですか？

わが英国には、そのような災害を救う道はないのですか？

オーストリアには、鞭打たれた者や縛られた者の逃げ道はないのですか？

追放者を呼び戻すことはできないのですか？

ロシアよ、鞭打たれながら地下で働かされているポーランド人や吹雪に曝されている優しい婦人たちに休養はないのですか？

アメリカよ、奴隷に慈悲の恵みはないのですか？

自由なフランス、騎士道のフランスよ、ローマに希望の光は与えられないのですか？

ああ偉大な国民は大きな恥辱を伴っているのですといいたい。

おお世界よ、不幸に虐げられた憐れなイタリアには、何の憐れみも、何の祝福の優しい言葉も、こなたには差し向けられないのでしょうか？

おお情深い国民よ、しばし私の言うことを聞く耳を貸して下さい。

人々はみんな市場に行く、そして私は独り慈悲の路傍に立ち皆様の施物を求めているものです。神の正義は必ず成就されるものでございましょう。なれば栄光あれ！


もし、われわれが以上の事実を徹底的に理解できるならば、これは必ず実行すべきである。皆さんは毎日、美しい郊外を通って馬車を走らせている。そして余裕のある金銭があるならば皆さんの家の門口をもっと立派にし車道を広くし、そして客間をもっと華麗にすることを考え、そうすることが芸術を保護し発達させるゆえんだと漠然とした観念を持っている。そして皆さんは数時間で行かれるくらいの所にこれら既に建てられているものと、すべて同じような門口や客間が建てられているという事実に目を向けようとはしていない。そして門口は今までに大理石を刻んだ彫刻職人の中で最も偉大な人によってつくられ、客間はティツィアーノやヴェロネーゼによって描かれているが、皆さんはそれらを受けいれようとも保存しようともしないで、路傍の家からペンキ屋を連れて来てチチアンやヴェロネーゼを鼠の巣となすにまかせているのである。

もちろんだ、とあなた方は答える。「だがわれわれは、ここ英国に素晴らしい家が欲しいのだ。ヴェローナの家でどうしようというのか」と。そして私はこう答える。「皆さんがここに所有している高価な物は思う存分にしてもよいのだ」と。しかしそれらを誇るにしても、崇高な誇りが必要である。皆さんが所有物にかける金銭の大部分が誇りのためであることは、皆さん自身の心に訊かれてみれば、よくおわかりであろう。なぜ、あなたの馬車を美しく塗り外側を磨くのだろうか？　皆さんが馬車に乗っている時には、外側は見えないのである。外側は他人に見せるためである。なぜ家の外装をそれほど磨くのだろうか、そして家具をそれほど磨き、金銭をかけるのだろうか？　それは他人に見せるためだけである。皆さんが、使い古して白い曇りのある皮張りの机で古い友人に手紙を書き、煉瓦の壁穴にすぎないような窓からの明かりだけを用いても、まさに同じように心地良いのである。そして、こうした事柄について望ましいことは、ただ普通の美術品を生産するのでなく、偉大な芸術品を保存することに誇りを持つことである。手近にある、とるに足らない滅びやすいものの代わりに、少々遠くにあっても高尚で耐久力のあるものを所有する誇りを持つことが望ましい。昔の英国の王侯は海外に領土や侯領を持っていたが、大実業家は海外に領地や屋敷を持ちたがらなかったのはなぜか、についてはおわかりであろう。ヴェローナの王宮の王やフィレンチェのフレスコ画にとりかこまれた修道院の主人になることのほうが、仕立屋も驚くような美しい仕立ておろしの制服を着せた召し使いの行列がマンチェスターからボルトンの街まで続くほどのものを持つこと以上に誇らしいことで、英語の真の意味で「尊敬すべき」ことである。さらにまた、イタリアに旅する人々が立派な芸術品を見る折々に「ああ、これはマンチェスターの善良な人々が、われわれのために特にここに保存しておいてくれたものだ」ということのほうが、彼らがはるばるマンチェスターを訪ね皆さんのたくさんの貴重な収蔵品を見て「これらはマンチェスターの善良な人々がわれわれのために持って来てくれたものだ。多少の傷みはあるが……」というより、はるかに誇るべきことではなかろうか。

しかし「ああ、美術展覧会は採算に合うがヴェローナの邸宅は採算に合わない」と皆さんは言うだろう。失礼ながらそれらは直接にではないが、はるかに経済的な貢献をするのである。大陸諸国が現状のままであることは、結局のところマンチェスターの利益となり英国の利益であると思われようか？　絶えまなく欧州諸国民を悩ます革命への恐怖、われわれを雲のように覆う威圧はわれわれの利益になるとお思いであろうか？　一八四八年の事件はわれわれに益をもたらしただろうか？（フランス王ルイ・フィリップが王位を追われナポレオン三世が大統領になった。三年後クーデターで独裁統領となる。この頃欧米各国で革命の動乱があり人心不安の時期であった）。あるいは、イタリアの大邸宅を竜騎兵の厩《うまや》としたことは、棉花貿易の促進にどんな寄与をしたのだろうか？　決してそうではない。しかし大陸の安定のために果たしたあらゆる対策、そして皆さんが大陸に英国の習慣や原則を範とするようにするすべての努力、そして大陸における貧困の救済と絶望に対して行ったあらゆる人道的行為は、英国の繁栄に十倍にもなって寄与し、そして幾多の予期しない方面で商業の水門や工業の源泉を開拓し促進することになるのである。

私は誇示欲と利己心という二つの動機について、さらにいっそう力説しようと思えばできなくはないが、この二つの動機は決して皆さんに勧めるべきものではない。ただ唯一の動機だけは皆さんに勧めたいのである。しかもこれをなすのが正しいと思われるのは、英国人が海外で財産を持ち外国人の状態を改善するための個人的努力は、英国の富がわれわれに課する最も直接的な義務の一つだということである。私はあらゆる真理に照らし熟考の末に言うのであるが、善意の人々が自らに課している責務のなかで愛国心ほど滑稽なものは、ほかにあるまいと思う。それは、自分たちの努力を自国の利益のため以外には一切用いてはならないということであり、この考えに従えば、慈善というものは地理的な徳であって、川の片がわの岸に住む人に施すものは神聖で正しいことであるが、向う岸に住む人に施すのは全く不適当で不自然な行為だということである。隣人もエルサレムにおいてこそ隣人であって、エリコ（エルサレムの東北にある古代オリエント以来の古い町で「旧約聖書」で棕櫚《しゅろ》の町として知られる）ではそうでないという二千年来の考えを思い起こし、キリスト教世界が不審に思うことがやがて来るであろう。英仏両岸の白亜の崖になっているフォークストンから対岸のアンブレウーズ（共に英仏海峡を隔てる英仏の海港で、ドーバー、カレーのような英仏交通の要衝だった）との間の浅い海を越え、いかに長い間手を握り合うことができなかったのかと、皆が不思議がるときがいつの日か来ることであろう。

憐れな敗残のイタリアが英国に贈った財宝は皆さんを歓ばせているが、そのすべてのものはイタリア所与のものでありイタリアの成果であった。それらを最初に見たいかと言い最初に見せてくれた寛容と慈悲の心根《こころね》を、皆さんは忘れてはならない。今日皆さんの家の壁面に輝いている力強い力の籠もった古代の絵画はみなイタリアのものである。後世の美術家の最もすぐれたそして最も偉大な者らはみなイタリアの教育を受けた人々であり、かのレイノルズ（ジョシュア・レイノルズ。一七二三―九二。ロココ期のイギリスの肖像画家。ロイヤル・アカデミー初代会長）やゲインズボロもヴェネツィアの芸術がなかったならばあのような絵は描けなかったし、現存の芸術に唯一真正の生命を与えた力はピサの墓場に葬られている故人の声によって初めて奮い起こされたものであることを思い出してほしい。

さて、外国に対して、ある一定の行動をとろうとするこれらのすべての動機は、極めて重大な事実に基づいている。多分あまりにも重大すぎて手に負えないと思われるかもしれないが、われわれの大切なことすべては、あたかも神の御心がするのだとまかせてしまい、神様が考えて下さらないような小さなことだけに手を下さなければならないと注意を向ける習慣がある。たとえば松やレタスは、われわれが世話しなければ神はうまく栽培して下さらないというので十分注意を払っているが、イタリアやドイツの物はわれわれが面倒を見なくても神の思し召しを賜ると思っているので何の世話もしないのである。

大事は少し脇に置いて小事について考えてみよう。戦争時にあらゆる地域における破壊を防止することはわれわれの任ではないかもしれないが、平時においての小さな絵画の破壊から救うことは全くできないことではない。われわれのすべてが、代理人を使って絵画を引き裂かせていると先刻申し上げたのを覚えておられるであろう。そして皆さんは私を信じなかった。そこで、このわれわれ自身の比喩について考えてみよう。こんなことはしばしば見られることであるが、一人の慎み深い親切な若い婦人が静かな部屋の片隅で座って彼女の従兄弟のために襟巻を編んでいるのを見たとしよう。そのすぐ隣りの広間では親猫が子猫と家伝の絵の間で遊んでいるが、なかでも一番お気に入りのヴァン・ダイク（アンソニー・ヴァン・ダイク。一五九九―一六四一。肖像画家。歴史画、宗教画、神話画などにもすぐれた）の絵の額縁の頂部に登り、画布に爪を立て、また下ったりしている。そして誰かが猫親子のそうした行動を若い婦人に知らせたならば、その婦人はあれは私の猫ではありません、妹の猫です。絵も私のものではありません、叔父のものです。私は夕食までにまだたくさん襟巻を編まなければならないので手を離すことはできません、と答えたとしよう。皆さんは、この慎み深く親切な婦人にヴァン・ダイクの絵の上の爪跡がもっと増えることについて、結局何とも答えることができないのではなかろうか？

さて、これらのことは、まさにわれわれ慎み深い親切な英国人が、大規模に行っているに違いない。こうしてわれわれはマンチェスターにあって、全世界の従兄弟たちに一意専心、襟巻をつくっているのである。ちょうど隣のあのイタリアの美しい大理石の大広間では、親猫、子猫そして猿が絵の間で遊んでいる。私は過去十五年間、欧米美術の最も貴重な遺物がある場所で働いていたのだが、私の心の中には次第にはっきりしてくる感覚があった。私は猿の巣窟の真ん中に住み、研究していたのであり、それらの猿たちは、利己的で意地の悪い猿もいるにしても、どちらかといえば人好きのするそして親切な猿なのだが、クルミのことや樹の枝の一番良い場所の取り合いで絶えず争っている。そして不幸なことには、猿たちの巣窟は貴重な絵画で一杯になっている。これらひょうきんで我侭な猿は常に画布で身を包み、絵の中へもぐり込んで眠ったり画布の真中に穴をあけてそこから歯をむき出して覗いたり、それを噛んで吐き出したり、あるいは縄のように縒《よ》り合わせてブランコをしたりしている。私としては、余程注意しながら彼らの隙を狙って時にはひっかかれたり噛まれたりしながら、横棧《よこざん》の間からティントレット（一五一八―一五九四。イタリアルネサンス期の画家）やパオロ・ヴェロネーゼの名画の一部を引っ張り出して、安全な場所に押し込むのが関の山である。

　これは、文字通りイタリアの実状が私の心に映じた印象であったし、今でもその通りである。そして現在はどうであろう。イタリアの美術の教授たちは長い間、独自の研究法に没頭し、ついに彼ら独自の芸術の形式に到達したが、コレッジョ（アントニオ・アッレグリ・ダ・コレッジョ。一四八九頃～一五三四。イタリアルネサンスの大画家）やチチアンが到達した画風とは、大変異なったものであった。けれども、教授たちが自分たちの画風が最善だと思うのは自然のことであった。古画は概ね現代画のように眼を驚かすようなものではなく、古画を持っている諸侯貴族たちは自分の画廊を新しく立派に見せていたいと思い、また有名な傑作は四分の一マイル離れていても人目につくものだとの説に動かされ、厳格な画が色褪せ値打ちがなくなっているから輝きを取り戻すべきだと教える教授たちを信じ、その説に従って厳格な画を教授にまかせ、ただちに美術の恒例によって修復されることになる。すると教授たちはおそらくは自分自身の技量を引き立たせるためにわずかに背景の一部分だけを原形のままに残して、古画の主要部分を塗り直してしまう。こうして私の心に映る教授たちは、絵に開けた穴から歯をむき出している猿のように見えてくる。すると、絵で生活している画商たちは、古い純粋な形で英国人に売れなくなるので、どんな名作でも売りに出される前に大美術館の教授たちの絵に似せるために、新しい絵の具で塗りかえニスで艶出しするに違いない。こうして画商たちは、私の心には絵でロープを縒り合わせてブランコをしている猿のように思えてくる。時折古い馬小屋や酒蔵の材木置場で、忘れ去られた木桶や薪の陰にペルジーノ（ピエトロ・ヴァンヌッチ・ペルジーノ。一四四八頃―一五二三。ラファエロの師匠として有名）やジョットのフレスコ画を誰かが見つけることがあるけれども、その価値には気づかず、その酒蔵に人を連れてくるとか薪の束を動かしておくというような知恵は浮かばない。そして彼はフレスコ画の上に白く漆喰《しっくい》を塗り、薪の束を元に戻してしまう。そしてこの種の人は、絵を喰い、うまくないので吐き出してしまう猿のように私には思えるようになる。ちなみに、クルミやリンゴを争奪するけんかをイタリア語ではベラ・リベルタ（美しい自由）といっているが、このけんかは朝から晩まで毎日行われている。

さてこうしたことも、もしわれわれ英国人が肉体で考えないで魂で考えるならば、たちまち終わりを告げるであろう。われわれは自分の荷物や身体が早い速度で運ばれることについては大いに得意なのだが、われわれの知覚の働きに速度をつけるのには意を用いていない。われわれは、通常思索に耽るときも家に籠もるか、あるいは世界を精神的に見ようと思いついても旧式の乗合馬車か荷車のような速さにとどまっているのである。現にここ英国で進行しているものが皆さんに明瞭に見えるとしたならば、どんなに奇妙な光景であるのかを考えていただきたい。すなわち、あらゆる種類の新しい美術品を、その大部分のものは粗悪品だと承知し自認しながらも、莫大で高価な努力を費やしている。今なお、新しい模様の壁紙、新しい型のティーポット、新しい絵画、彫刻、建築などをつくるのに腐心している。そしてティーポットや絵の中にほんの少しばかり良い所があると、吹聴して大騒ぎしている。しかし、最も素晴らしい絵画や彫刻や壁紙の模様は既にあるのに一瞥《いちべつ》もくれないのである。これらの既存のものは、保存するのに何も必要ではない。ただ湿気や塵から守る普通の注意を払うだけでよい。しかしわれわれはジョットの描いた壁を崩れるにまかせ、ティントレットが描いたキャンバスは朽ちるにまかせ、セント・ルイ（仏王ルイ九世。一二一四―一二七〇。在位一二二六―七〇）の建立した建物は破損するにまかせておきながら、一方で自分の客間に受賞した家具を飾ったり、自分の立派な陳列室のことを田舎の新聞にまで書き立てている。皆さんは、私が言葉をあいまいにかいつまんで言っているとは思わないでいただきたい。私は文字通り事実を話している。アッシジ（イタリア・ウンブリア州の都市。フランシスコ会の創設者聖フランチェスコの出身地）にあるジョットのフレスコ画は、まともな管理もされず今では朽ち果てようとしている。ヴェネツィアのサン・セバスチャン寺院にあるティントレットの絵はこの瞬間、灰色のボロくずになろうとしている。カルカッソンヌにあるセント・ルイ寺院は散々に崩れ、もはや現に市場で残骸を横たえている。しかもわれわれは、羽毛の半分生えた憐れな小ガラスのように、自分の巣の中のかわいらしい棒切れや毛糸のことをみんなでカーカー鳴いている。私が家にいて一日を空しく過ごしているとき、一通の手紙を田舎の善良な牧師から受け取った。彼は彼の教区教会の現状について深く憂慮していた。部屋の隅には壁龕《へきがん》（像や花瓶を置く壁のくぼみ）は一つしかなく、そこには像もないようなチューダー王朝のトレーサリ（ゴシック建築の高窓などに使われる装飾的な石造の窓桟）の残骸を修理しようと、寄付金を集めるのに心を砕いている。それなのに一方では、世界中で他に比類のないほどたくさんの宗教建築や彫刻が、憐れみや失望の一瞥すら与えられずに徒《いたず》らに風雨にさらされ、凋落し忘れ去られるのである。田舎牧師はそんなことを気にかけない。彼は船酔い持ちで英仏海峡を渡れないのだから。アッシジ壁画の天使が円天井から消え失せようと、シャルトル大聖堂（フランスのゴシック建築を代表するものの一つ）の女王や王の像がその台座から落ちようとも、彼にとっては何でもない。それらは、彼らの教区内のことではない。

「では、新芸術は一切創作してはいけないのか、教区教会の面倒をみてはいけないのか？」と皆さんはいうだろう。その通りいけない、確かにいけないのだ。皆さんが既に持っている芸術と教区外にある最も立派な教会の管理に適当な手当てをするまでは、決してしてはならない、皆さんの第一に心がけるべき本来の立場は、英国の教区委員や教区監督としてではなく、欧州全土にわたる大キリスト教団の一員としての立場である。キリスト教社会でのみ純粋で貴重な古代美術は見られ、アメリカやアジアやアフリカには見られない。皆さんはキリスト教社会の一員として織物を織っているが、その倉庫の屋根を葺《ふ》かずにおくような製造者になろうとしている。雨は倉庫に溢《あふ》れ鼠が遊び戯れクモは網を張り鳥は巣をつくり壁虫は壁に食い込み穴をあけ、そこの傷口は痛んでいる。それでもなお皆さんは、惨めな織物を織り続けている。そして、皆さんは金持ちになったと思っているけれども、皆さんの倉庫では織るのに十二か月以上もかかるものが一時間で台無しにされているのである。

この比喩でさえも、皆さんを改悛《かいしゅん》させるためにはまだ十分ではない。織物業者は、少なくとも新しく織ったものは昔の織物のように丈夫なもので、そのために雨が降っても風が吹いても布地が必要とされるときには物を包むことができると期待している。しかしわれわれの織った織物は、織り上げるにつれ朽ちていく。われわれが昔の偉大な芸術を軽蔑するがゆえに今日、大芸術品を創出することはできないことを示しているのである。もしわれわれが大芸術品をつくれるならば、われわれは既につくられた物を見たときにそれを愛すべきで、それに真に愛着を感じたならばその価値を認識し保存すべきである。われわれの欲しているものは芸術ではなく娯楽であり、誇示欲の満足であり、芸術以外の世俗的な目的の利益である。われわれは朽ちるにまかせながらそれらをわが家の飾り棚に誇示し、自慢しているのである。

それならば、と皆さんは私に質問されるだろう。ここにいるわれわれが明朝からでも実行できるものは何か？　と。そして私はそれを期待している。次の事柄は、実行できる結果の主なものである。第一に政府が大金でもって新たに絵を買ったと聞いたときに、皆さんは不平をいってはならない。欧州は今、破壊の危機に瀕している、本当の意味で値のつけようもないような名画がたくさんある。それの適正な値段とは、単にそれを手に入れて破滅から救うのに必要な額である。もし皆さんが五〇ポンドで入手できるならば、それでよい。もし一〇〇ポンド以下では買えないのならば、それでよい。もし五〇〇〇ポンド以下では入手できないのであれば、それでもよい。もし二万ポンド以下では入手できないのならば、それでもよい。だまされることを心配してはならない。だまされても恥ではない。だます方が恥なのだ。皆さんが大陸の芸術品の価値あるものを入手することは、一般にはむずかしい。それは、実際は関係ないはずだが、実は関係していて、この問題に関するあらゆるものを持っていて、将来も常に関係あるであろう人々の助力や黙許が必要だからである。そして、もし皆さんが、これら商人にここで一ダカット（中世から二十世紀後半まで欧州各国で使われた金・銀貨）、あちらで一ゼッキーノ（ダカットの別称で金貨を指していう）と金銭をふりまき、彼らにだまし取られることに甘んじようがしまいが、結局は皆さんは絵画をだまし取られることになるだろう。そして絵画を失うか金銭をだまし取られることのどちらが一番だまされたことになるかということについては、私は皆さんの判断にまかせるしかないと思う。けれども、黄金の袋を階下へ運ぶのにポーターに六ペンスのチップを払うよりも、屋根裏部屋のテーブルに置き去りにしておいたほうがいいという経済学者がたくさんいることも知っている。

そこで、この問題の第一の現実的結果とはこうである。国が高額で新しく絵画を買い入れたと聞いたときには、結局のところ値段の高い絵画はいつも最善の買い物なのである。皆さんは、私が一時の勢いで言ったり熟慮なしに発言したと思うかもしれないので繰り返して申し上げるが、値ぶみのできない絵画も世間にはあるということである。皆さんは国を代表してドーバーの断崖、すなわちシェイクスピア・クリフ（ケント州のホワイトクリフと呼ばれる断崖。『リア王』第四幕第六場の舞台）の上に立ち、海の彼方の諸国民の持っている油絵を言い値で買おうと、彼らの眼前で白紙小切手を打ち振るべきである。

さて、次に第二の現実的結果とは、いかなる事情にあろうとも模写絵は買ってはならない。すべての模写は悪いものといってよい。というのは、たとえ一本の藁《わら》ほどの値打ちの画家でも決して模写をするような画家はいないからである。彼は彼の好むように彼自身の用のために、彼独特の方法で絵画の研究はすることはあるが、模写する気もなければ模写することもできない。だから、皆さんが模写絵を買ったならば、それは大変な誤解を買ったのであり、自分に適しない仕事に従事している愚鈍な人を鼓舞し、そればかりでなく過ちや詐欺の機会を窮極的に増加させ、そして金力の及ぶ限りの範囲内で各方面での無知の原因をつくる。実際のところ皆さんがある量の模写絵を買ったならば、皆さんの力相応に世間にばらまくことになる。

しかし私は、模写絵を決してつくってはいけないとは言わない。政府があまり才のない者たちを雇い入れ、すべての名画のすぐれた模写絵を描かせることは良いことである。これらの模写絵は美術的には無価値なものだが、もしも原画が破壊されるようなときには歴史的記録的価値があるものになる。大芸術家が自らの用のために行った模写絵は、時には安価に買えるので最大限の努力を払っても購入すべきである。それは、機械的模写ということで、非常に貴重なものになるであろう。フレスコ画や他の大作品を透写したものも大きな価値がある。けれども透写は、模写と同様に本当に多くの誤りをしがちである。透写における誤りというのは一種類だけであり許せる性質のものであるが、普通の模写画家の誤りは、あらゆる誤りをすべてそなえる。最後に版画のことであるが、原画の表現や発想の特質を正しく表わすことなど求めず、原画についての特定の事実だけを伝えるという限りにおいては、往々にして有用で価値あるものである。もちろん、今このことについて詳しく論じることはできない。ただ安心して言える主要点は、皆さんは私有物としてどんなに忠実な模写であるとか原画と同一だといっても決して模写絵を買ってはならないということだ。そんなことをすれば、皆さんの趣味を低下させるだけで金銭を浪費するだけである。そしてもし、皆さんが物惜しみせず賢明であるならば、皆さんは名画の模写を買ったりそれに類する物を買うよりも、むしろ国家によってそれが行えるように寄付すべきである。絵画を買うために立派な国立美術協会があってもよい。それはわが国の大都市の多くの美術館に絵画を提供し、かつそれらを安全のために監視するものである。とにかく皆さんが名画を見つけたならば、美術家の知人に、あなたのためにその絵を買ってくれるよう頼むのが、安全かつ有益な行動というものである。決して自分一人で買ってはならないし、外国の販売業者のところに行ったりしてはいけない。もし旧家で死蔵されている古画が見つかったならば、知っている画家に頼んで買い取り交渉をするようまかせておくのがよい。もしその絵画が気に入らなければ競売に付してもよい。そうすれば皆さんは、このようにして買った絵画では損することがないことに気づくであろう。

そして第三の現実的結果は、次のように一般的なものである。皆さんがどこに行くにしても、何をするにしても、保存のほうに力を入れて生産のほうは手控えることである。概していえば、世界は確かに悲惨な無秩序な状態である。そして、まさに散乱したがらくたを片隅に寄せて、やっと隅の方に自分の座る所ができたというので、一日中そこに座って糸を紡いでさえいればよいと思っている。だが家長として経済学者として、第一に考えるべきこと、そして努力すべきことは、皆さんの周囲の事物をもっと秩序立てることである。皆さんは、まず地下室を整理し倉庫の腐敗物を取り除いたその後で、座り紡ぐのもよいが、それまでは決して何もしてはならない。

分配

さて、いよいよ、われわれの研究の第四の大命題にたどりついた。われわれが収集し、保存した芸術品の賢明な分配の問題である。

芸術品が、その所属する国民にとり最も有益になる方法は、美術館の管理がよく行き届いたものと仮定しての話であるが、ちょっと考えれば収集品は公立美術館に置くほうがよいとわかるに違いない。しかし、美術館に陳列することにより、必然的に伴う一つの不利益がある。すなわち、愚かな管理者によってもたらされるであろう被害である。国民的な富をなす絵画が私蔵されている限り、それを買い取る人は、常にそれを愛好する人なのである。そして、自分の所有する商品の交換価値があるという意識があるために、所有者はその価値を減じないように保存させるだけの注意を払わせるのである。とにかく芸術作品が国民の間に広く散在しているのであれば、一時にすべて破壊されることはない。ただ一定の平均量だけが、時々の災禍によって失われていくだけである。しかし、一旦絵画が大美術館に収蔵された場合、管理者の任命が形式的になり、その地位が有利なために猟官によって左右され、愚かな人物や不注意な者がその地位についたならば、おそらくみなさんの名画は塗り替えられることになり、一か月もあれば国民の財産は破壊されてしまうであろう。こうしたことは、現にいくつかの外国の大美術館で現実のものとなっている。こうなると、絵の死刑執行所であって、ただ入口の扉の上にダンテ風の「汝、ここに入らんとする者よ、すべての希望を棄《す》てよ」（『ダンテ神曲』地獄篇第三章第九節）とでも書いた銘が必要なだけである。

しかしながら、絵画の価値を知っているか、あるいは絵画の意味を理解している国民によっていつも守られていると仮定するならば、絵画を公立美術館に陳列することは、絵画展示の方法で最も有益なものであるのと同様に、もっとも安全なものである。【注】そしてそれは絵画の歴史的価値を引き出し、歴史的な意義を明瞭にすることのできる唯一の方法なのである。しかし、絵画の私有を奨励することは、大きな利益をもたらすものである。部分的には研究の手段として、そして芸術品というものは、時々見るような人よりもずっと手元に置いている人によってより多く発見されるものであり、また一つには国民の習慣を洗練する手段になるのであり、国民の家庭生活において情操を陶冶《とうや》する手段なのである。

【注】絵画の保存にあたり、絵に施された作業のすべて、補筆された場所を正確に記録するように規程をつくることはたいへん有益である。

これら最後の目的を達成するための最も有用な芸術は、現代のものである。国民のあいだで苦労している画家によって人々の特殊な嗜好は満たされ、人々の特有の無知は修正される。画家は彼の作品が受ける共感の度合いによって国民から何が求められているかという知識に多少なりとも導かれるのである。概して言えば公立美術館での故人の大家の作品を、国民の歴史、国民の芸術の発達過程や及ぼした影響を説明するように並べ、現代大家の作品を私的に所有することを奨励することは、政府や絵画を収集するようなすべての芸術愛好家の目的でなければならない。そして、このような私的所有を奨励するのに第一にして最善の方法は、もちろんそれらの値段をできる限り安くしておくことである。

私はこの部屋に多数の有名な画家がおられないことを望むが、もしおられたならばもう十五分ほど辛抱をお願いしたい。もしご辛抱願えれば、私が言わんとしていることは結局、不快の念を起こさせるものではないとおわかりいただけるはずである。

私は重ねて皆さんにしばしの間のご寛恕《かんじょ》をお願いしたい。現代芸術の分配に関するわが国民経済学の第一の目的は、その価格を確実にかつ合理的に制限することにある。そうすることによって二つの効果があらわれる。もし画家が金銭を欲しければ、一枚でなく二枚か三枚の絵画をつくるだろう。そして皆さんは良い絵を中産階級の人たちの手の届くところに持って行けるし、国民の広範な関心をそそり、絵画の需要を千倍にも増加させ、健全にして自然な生産を促進することになる。

いま皆さんの心中には、私が述べたことについてたくさんの異議が湧きあがっていることであろう。しかし、このような原理のすべての道徳的および商業的意義を一時間で説明することはできないことにご留意いただきたいのである。私が軽々しく申しあげているのではないことだけは信じていただきたい。私は合理的に提起されるすべての異議を考慮したと考えているが、その主なもの一つだけを一瞥する時間しか只今のところ持ち合わせていない。すなわち、現代絵画に対して支払われる高い値段は、画家にとっては名誉なことであり、有益なものであるという考えである。しかしだからといって、現代絵画の作品に与えられる高い値段というものは、現代絵画の発展にとって基本的障害の一つであるとも信じている。まず第一に、この高い報酬が芸術家の心にどう作用したかを考えていただきたい。もし、画家が一般に言われているようにうまいこと成功して、公衆の目、特に上流階級の目をとらえたならば、彼が得られる幸運は際限がない。それが青年期ならば彼の心は、自分の芸術によって世俗的な金銭的成功を手に入れられることに気づき、そこに容易に安住するようになる。そして彼自身がこの方面において徐々に向上していないことに気づくならば、彼は自分の作品に何か悪い所がありやしないかと考えるが、しかしもし彼が余りにも高い自尊心を持っていたならば、なおも富と名誉からくる誘惑は彼を正直な労作から離れさせ世に媚びるように枉《ま》げていく。そして次第に彼の精神力と、彼の目的の公正さの両方を失うようになる。こうした大きな富や評判に対する貪欲や野心はどんな画家の心にもあり、彼に対して必然的に影響を及ぼすものである。こうした富を獲得する可能性がある限り、天分のない人間までが世俗的利害のみを狙って画家になろうとし続け、弊害はさらに大きいものとなる。忍耐しながら労作している作家を悩ませ苦しめて、品の良い佳作の絵を自分のけばけばしい俗悪な絵のそばに置き社会一般の趣味を堕落させ、美術学校に対する影響力も大きいために害悪を垂れ流す。彼らの能力が少なくても、その及ぼす害悪の大きさには驚くべきものがある。もし皆さんが、何らかの方法で絵画の値段を低く保てるならば、皆さんは直ちにこれらの妨害者のすべてを排除することができるであろう。

皆さんはたぶん、この手厳しい処置は健全な競争心を萎縮させ努力を促す刺激を無くしてしまうので、利益よりも害のほうが多いと考えるであろう。しかし芸術家というものは、皆さんが彼らに多く払おうが安く払おうが、常に妬み合うものであり、競い合うのである。この世には金銭のためにつくられた佳作はなく画家の心に金銭欲がある間は佳作はできない、と私は信じている。画家が製作中に金銭の観念が頭に浮かんでくると、その観念が明瞭になればなるほど彼の力は減殺されるものである。私が前にも言ったように、真の画家はパンと水と塩を与えておけば、皆さんのために献身的に働いてくれるものである。そして俗悪画家は、彼を王宮に住まわせ王侯のような生活をさせても、粗悪な間に合わせ仕事しかしない。ターナーは若い頃決して悪い報酬ではないが、一日に半クラウン（二シリング六ペンス相当の銀貨）と夕食を得てそれで暮らしを立て、絵を学んだ。私は芸術が単純で通常なビジネスになり、大家は生活の心配をしないですむがしかしそれ以上でもないようになるまでは、芸術の真の繁栄の機会はないと信じている。私がかく言うのは、大画家を軽蔑するのでなく彼を尊敬しているためである。私は彼に財宝を与えても、彼の尊厳や幸福を増すとは思わない。もしシェイクスピアやミルトン（ジョン・ミルトン、一六〇八―七四。イギリスの詩人）が生きていたとして、彼らを百万長者にしてやっても彼らの尊厳を増すとか、より良い作品を得られるとかと考えられないのと同じである。

しかし、皆さんが画家の作品に対して余りに高い値をつけることは、大家自身をもあるいは二流の画家たちをも損なうということに注意してほしい。もし画家が謙虚な人であれば、彼の作品が皆さんの眼には大家のそれとくらべて小さな価値しかないと思い、落胆し意気消沈してしまうであろう。もし彼が高慢な人物であれば悪意の毒が惹き起こされ、成功した競争者に対して侮辱や悪口を浴びせかけるであろう。そしてそれは真の画家を悩ませ傷つけ、ついには心をひねくれさせ、かたくなにする。彼はこの悲惨な害悪を負わずに、試練を乗り越えることはできない。

それが名声のある画家とそれ相当の位置にある群小画家に対して、皆さんが及ぼす影響である。しかし皆さんはこれよりももっと悪いことをしている。というのは、流行の絵に過分の金銭を払うことによって、新進の若い人たちを助ける力を奪ってしまうことがある。もし皆さんが私の言うことに納得がいかないのならば、ここは議論の余地を残しておくが一旦、大家には十分に支払っても何の害もないし何らの特殊な利益をもたらすものではないとしておこう。彼の名声は確立し、富も蓄えられた。皆さんが絵画を買おうが買うまいが彼にはどうでもよいことである。彼は彼の絵を皆さんに一枚でも持ってもらうことは、特別の好意でしているくらいに思っている。皆さんが彼にやってやれることは、新しいひと組の馬車馬を買う費用を助けることくらいであり、皆さんがそうやって費やすのと同じ金額があれば、二〇人の若い画家の心を慰め、彼らの健康を保つことができるだろう。そして、もし二〇人の若い画家のなかに一人でも真の潜在的能力が貧乏のために妨げられている者がいたとすれば、皆さんの幸運な支出がいかに永遠にして広大な仕事をするかということを考えていただきたい。しかし「考えていただきたい」といったが、それは無駄なことかもしれない。というのは皆さんは、若い画家が彼の初期の不遇時代に味わった深い悩みに満ちた心の内を理解できないからである。彼は心の内からの叫びを聴き、誇り高くうるわしい不可思議な存在を感知しているのに、皆さんには見えないのである。もし彼に平穏と閑暇があったならば感得できたであろうことも、誰も彼に平穏も閑暇も与えなかったので、すべてはあえなく消え去ってしまった。彼から去ってしまったすべての友、最も尊敬し信服していた人々も彼を責め彼の心を麻痺させている。あげく最もむごいことには、彼を心から信じきっていた人が最も烈《はげ》しい苦しみを受けていることである。二人が甘い大きな望みに燃えていたときの妻の目は光り輝き、「吾《わ》が父」と主の御名を呼ぶとき誇らしげに小刻みに震えていた小さな唇も彼の傍らにいて頰から肉がそげていくにつれ乾ききり青白くなっていき、もう再び彼には見られないかもしれない。皆さんが、名画に対し多額の支出をすることが、彼らの窮乏を救い償う力を皆さん自身で奪ってしまい、多額の支払いをした画家をも損なってしまう。結局のところ、皆さん自身のために皆さんは何をし、何ができたであろうか？　流行画家のにわか仕事は、少なくとも無名作家の落ち着いた作品以上に価値があるとは言えない。大抵の場合、評判の絵を高値であわてて買ったならば、気に入った絵を二〇枚も買える値段で気に入らない絵を一枚だけ買ったことに気づくであろう。

というのは、現代画家の作品の値段は、決してそこに含まれている労働の量や価値を代表するものでなく、また代表できるものでもないことを思い出してほしいのである。多くの場合、絵画の値段は、その国の富裕階級が絵画を持ちたいと思う度合いを示している。ひとたび富裕階級が、特定画家の絵画を持つことで「人格」が高められるものだと夢想するようになると、その作品は直ちに天上知らずの値になってしまい、数年間は持続されるようになる。そして、そうした値段で買うことによって得られるのは値段相応の価値ではなく、単に虚栄の競争で勝利を博するにすぎないのである。それほど皆さんの金銭をもっとも悪く、あるいはもっとも無駄な方法で使うということはない。というのは、皆さん自身が虚栄のために買うことはないにしても、その絵に対する執着によって他人の虚栄心を太らせることになるからである。皆さんがもし富の競技場にいて競技を続けようと思っても、相手の競技者が見つからなければ、競技は行われないであろう。というのは虚飾の人にとっては、張り合う相手がいなければ絵画を持つ興味が見出せないからである。それゆえに、絵画に画家が製作に要した時間に対する公正な値段以上の値をつけるということは、皆さんが皆さん自身を欺いて虚栄を贖《あがな》うだけでなく、他人の虚栄心を刺激し、文字通り誇示欲の育成のために支出するようになる。芸術作品の正当な値段以上に支払われた金銭について考えてみよう。それは、人間性という田畑に置かれている精神的な生石灰肥料か、グアノ（南米で産する海鳥の糞の化石で良好な肥料になる）の貨物に投資するのと同じで、誇示欲という収穫を増大させているにすぎない。皆さんが畑の最も価値のあるところを耕したのに、そこには空っ風が吹くばかりで何も収穫できないのと同じ、「小麦の代わりにイバラが生え、大麦の代わりに雑草がはびこるように」（旧約・ヨブ記31・40）なることをしているのである。

しかし、絵画が高価になることは、すべてこれらの弊害を償って余りあり、また一つの利益ともなる。すなわちたくさんの駄作をつくるよりも一つの完全な絵画をつくるように画家を奨励すべく高額を支払っているのである。そして皆さんは言う。あなただってそう言うしわれわれも信じているように、一枚の全《まった》き絵画は多数の低俗な絵画よりも価値があるのだ、と。

いかにもそうである。しかし皆さんは、高値を払っても、その一枚を入手することはできない。およそ傑作というものは、画家が心からその気になり画題が好きになり、金銭が支払われようが支払われまいが、思う存分うまく描いてみようと決心した時にのみ生まれるのである。しかし駄作、それも一般に駄作中の駄作というものは、高価に価するように見映えよくつくろうとし、非常に手間どったように見せようとしてつくられるのである。【注】

【注】私はこの講演のために、出来映えごとに現代画家のおおよその平均価格がわかるようないくつかの資料を準備しておいた。しかし詳細にわたって読者に理解していただくには、余りにも複雑な資料すぎ読者は辛抱しきれまいとあきらめたのである。

しかし、大体のところを言えば、水彩画に対しては一〇〇ギニー以上、油絵に対しては五〇〇ギニー以上の値段は一般に浪費である。一般の芸術家では、たった一枚のキャンバスに対する報酬としてこうした値段以上で製作に没頭するのは、間違ったことである。画家は非常に入念な絵画一枚を描くより、二枚の絵画を描くことに従事するのがより良いことである。水彩画家は概して、余りにも大きな絵画を描く風潮がある。そしてその値付けにあたっては、思慮深い労力よりも画面の幅や広さを重視する。もちろん著しい例外もあちこちで見られる。ジョン・F・ルイス（一八〇四―七六。英国の画家で東方趣味の水彩画を多く描いた）の例のように、画の大小に関わりなく全体が少しの狂いもないほど精確に描かれている作品には、どんな値段をつけてもその労に報いられるものではない。

しかしながら、絵画を購入するにあたってもう一つの重要なことがある。それは絵画の値段を合理的基準まで引き下げておくということである。絵画に支払う金銭は生存者の手に渡るものであって、死者の棺に注ぎ込まれてはならないのである。

　というのは、われわれが絵画への支払いをするときに、彼の生存中にはどの作品も適正価値の半分の値しか付けられないことに注目していただきたいのである。画家が死んだとなるとその絵が佳品であれば、その瞬間に先の値段の倍にも上がる。しかしその価格の上昇は、目端《めはし》のきいた商人やその画家の作品を生前に買っていた者の利益になるだけである。つまりは問題の本質は、英国の公衆は毎年ある一定額を芸術のために支出しているが、その額が一〇〇〇ポンドだとして、半分の五〇〇ポンドだけが画家またはその作品を製作することに関係した人に支払われ、残りの五〇〇ポンドは単に何を買うべきかを知っていた目端のきく商人に褒賞として支払われるということである。なるほど褒賞とは、ある一定の限度内であればけっこう至極である。しかし褒賞が全支出の一〇〇パーセントにもなることは、経済学上よいことではない。だから一般にその絵画の保存上どうしても必要と思うとき以外は、故人となった芸術家の絵は買ってはならない。もしそれらが無視されたり露骨に蔑視されるおそれのあるときは、それらを買うのがよい。そしてその値段は多分高くないであろう。その絵画を公立美術館に置きたいと思うならば、買うのがよい。それはまさに皆さんが、金銭を自己のために遣うのではないからである。あるいはもし皆さんが、画家の生存中に愛好した作品がありそれを買っていたが、それに匹敵する以上の作品であれば、今買ってよい。しかし画家の存命中に買わなかったのであれば、その死後には決して買ってはならない。買ったとしてもそれは画家にとって何の益もなく、その行為はあなた自身の顔に泥を塗ることである。皆さんが、本当に愛好できる絵はないかと見まわしそれを見つけて買ったならば、それはまだ世に出ていない何人かの天才を助けることになる。それが皆さんがこれまで無視していた画家に対してできる最大の償いになり、そして生計《たつき》に苦闘している画家に対し労賃と褒賞を同時に与えることになる。

さて現代芸術の価格を低く抑えておき、個人の所有物としてより多数の人々が手に入れられるようにする精神のことだが、われわれは、さらに別の方法によって多数の人が芸術品に近づきやすい方法を講ずべきである。それは、主として公共建築物に恒久的な装飾を施すことで、それによって昨夜お話しした若い画家たちに、定職を与えられる有益な方法を見出せるものと私は思っている。

われわれがまさに欲しいと思っている、公共建築物の第一にして最も重要なものは、学校である。学校の内装に賢明な大変革を導入できないか、慎重に考えていただきたい。これまで私の知る限り、われわれが望むすべての教育を子どもらに与えることは不可能であった。結局安い家具とむき出しの壁のまま間に合わせているのだが、安い家具やむき出しの壁は教育環境としては妥当なものだという考えもあった。固い椅子に座り周囲は白壁に囲まれたほうが注意力が散らずに済み、少年たちにとっては一番よいのだと思う。それらは粗野で醜悪な状態に慣れさせ、一つには人生の苦難に対する準備であり、一つには教師の不在のときにけんかをして戦場や武器の代わりになる床や椅子に被害が出ても最小に食い止めようとしているのと同じである。なるほど、すべてこうしたことは、田舎の子どもらを教育する場合や、少年たちの初期の訓練には結構なことで必要なことである。しかし教養ある人士に育てるためには、習慣を練磨することが教育の主要素の一つであり、彼の身体が受けいれる限りの厳しい鍛錬を与えるだけにとどまらず、感受性や洗練とを高め、物事を適切に思慮深く処理する方法も教えてやらなければならない時期というものがあるのである。

それればかりではない、教室を空っぽにしておくことによって注意力を集中させようという考えは、全く誤ったものである。空っぽな教室では、心は最も散漫になるものだと思う。それは止まり木のない小鳥が何とかして飛びだそうと、絶えず逃げ口を探しまわるのと同じである。もしや努力によって当面の注意を集中できたとしても、その子にはつらい苦しい気持ちが引き起こされるだけで仕事そのものに余計に厭気がさしてくる。そして父親の書斎のカーテンを引いた一隅や、彼の部屋の格子窓の下では十分に集中できるものが、ひっかき傷や釘の出ている壁以外に何もない所でインク汚れのついた机での勉強は、青少年にとって不愉快で苦しいものになるであろう。さて私の信念によれば、最も良い勉強というものは最も美しいということである。森の中の静寂な空地あるいは湖畔の一隅などは、九九算の授業の後の子どもらにとって御手《みて》に加護されたキリスト教国すべての教室にも値するものである。それはともかくとして、よく訓練された青少年の生活には、彼が隣の子にインク壺を投げつけたりせず机に座る時間があるべきであり、醜悪な背もたれのない長椅子よりも、洗練された椅子で勉強したほうが彼の能力をもっと発揮できるはずである。その時こそ彼はすぐれた内装を施された学校に進むべきであり、その進学とそこで過ごす時は彼の輝ける一時期となるであろう。

しかしながら、わが青年たちに対して、単に洗練された建築装飾の効用についてだけを主張する時間は持ち合わせていない。というのは、皆さんには、彼らのためにそなえてほしいと思っている特殊な種類の装飾、すなわち歴史画にどんな影響があるかについて考えてほしいと希望するのである。皆さんは今日まで、われわれの歴史的知識は視覚から伝わるのではなく、みな口頭で伝えられるものだという概念になっている。さて疑いもなくわれわれは次第に賢明になってきており、そして毎日そうなりつつあるのだが、ついには眼は耳よりも高尚な器官となり、すべての有用な情報をわれわれはまさに眼を通して得ており、あるいは形状を認識するようになっていることを、私は疑わない。さて少年があなたから口頭で描写された知識は、彼があなたが話していることを視覚的に理解する限りにおいてのみ利用可能である。私の長年にわたる人生で回想してみると、ギリシャの騎士の風貌に対して持っている唯一の観念は、アレキサンダー・ポープ（一六八八―一七四四。イギリスの詩人）訳のホメロスのポケット版の小さな木版画の思い出と、英国の騎馬近衛兵を畏敬した研究の複合したものであった。多くの少年たちは彼らの観念を私がした以上に多くの異なった情報源から得てより入念に整理していると信じているが、しかし彼らが求めている情報源は常に視覚によっているに違いない。賢明な少年であれば大英博物館に行ってギリシャの花瓶や彫刻を見るか、兵器廠《しょう》にある武器を見るであろう。そして本物の武器はどう輝いているのか、ギリシャの甲冑《かっちゅう》の形は何に似ているかを見て、かなり真実に迫る心象を形成するであろうが、それでも普通の場合それらはまだ活きいきとしたものでも、胸を騒がせるほどのものでもない。

さて、皆さんの装飾絵画の用途は無数にあり、少年たちに彼らの国の歴史をまざまざと感じさせ、彼らの眼前に過去の様相を華々しく甦らせるであろう。教師は教室の壁を一度指さすだけでよく、その後のすべての言葉の意味は少年たちの心に最もよい方法で記憶される。たとえば古代衣装について、上着は？　ケープは？　婦人の上衣は一体どのようであったか？　いまは皆さんは辞書のページ中央の稚拙な木版画を棒の先で指し示さなければならないが、立派な歴史画があれば、数多《あまた》の人々が燃えるような色の実物の衣裳を身につけ、堂々と力強い動きをしている肖像を示すことができる。皆さんは彼らが立っているときに、布地が人々の足にどういう風にまとわりつくのか、歩くときに肩からどうなびくか、泣くときにはどのように顔を覆うのか、戦さのときには頭をどうやって包んでいるかを、直ちに理解できるであろう。さて、武器がどんな物であったかを知りたければ、同様に本のある頁を見るしかない。そこには槍の穂先が列をなし、剣の柄《つか》が行儀よく並べられ、そして、三日月刀には右に曲がっていたり左に曲がっているものがあり、投げ槍には節のあるもの、ないものがある。それを見る少年は次第に漠然とした数学的観念を抱く。しかし、皆さんが彼に良い絵を示したならば一瞥して、教室での初めての雨の降る午後が永久に彼の心に止まるように、刀や槍の閃《ひらめ》く有り様、そしてどのようにして突き刺したり曲がったり、あるいは折れたりし、どのようにして人が刀を振るい、そしてどのようにして人々が死んだかがわかるのである。

しかし、それよりも重要なのは、衣服や武器の問題ではなく、人としての感受性の問題ではなかろうか。偉大な人々の行動や面影を忠実に表現した絵画を眼前にし、立派な若者の心がどのような影響を受けるのか、推し量ることができるだろうか。美しい夕暮れのひととき、かの青年がそれらの絵の前に立ち涙を流しながら、それら偉人たちの遺影が彼の魂を刺し通すように逃れ難く静かに眼を射抜き、あるいはその像の唇が動いておそれおののき、戒めや無言の諭《さとし》を口にするのに思いをいたせば、気ばかり焦って無謀な若者の行く末を定める決断を胸中に抱かせることができるのではなかろうか。そして、もし多くの若者のなかの一人の心底にでも届くならば、彼の思いや運命を変え、競馬や賭博に彼の精力を浪費しても悔いないような者を人生の競争で堂々と冒険に臨み、栄誉や国に対する貢献を果たしうるように一変させられるのではなかろうか？　もしそれがかなうならば、それだけでも、「芸術の政治経済学」の幾分かの目的は達せられるのではないだろうか。

そして、絵画に描くべき場面は、一律に定められたり網羅されたりすることはないということに注意していただきたい。たとえば皆さんが英国の各学校のために、レオニダス（？—紀元前四八〇。アギス朝のスパルタ王）の戦死の図一枚とか、マラトンの戦い（紀元前四九〇年、ギリシアのアッティカ半島東部。アテナイとプラタイア連合軍がペルシアの遠征軍を迎え撃ち連合軍が勝利を収めた。マラソンの語源）の図一枚とか、クレオビスとビトン兄弟（ギリシャの女性神官である母が神に詣でるときに車を引く牛がいなかったので兄弟が引いて神殿に行った。ヘラ神は彼らの孝心を喜び二人に永遠の幸いを授けたといわれる）の死の図一枚ずつを要求するとしても、必ずしも、イタリアの宗教画家が与えられた順番の画題を、繰り返し描いた以上に単調になるとは限らない。われわれは、こうした繰り返しを許すべきではない。というのは、将来われわれはわれわれの大都市と同じくらい偉大な数々の学校を持つであろうことを願っているが、絵画は数百年たっても、我が国の崇高で感動的な主題を無限に選べるからである。そればかりでなくそのうちには、皆さんが現にやっているように若き学生たちの研究が狭い分野に限定されないことになるであろう。私は精神的な修練においても政治哲学においても、古代史や中世および現代史の正確な研究によって得られる有意義な結果が得られる時が必ず来ると思っている。そして中世、現代史の事実はわれわれにとってたいへん重要なことだと確信している。将来、英国に散りばめるように建つであろう学校では、思想の分野が分割され、各学校は万人が必要な世界史の一般概念を教えるとともに、それぞれ専門の研究分野である場所あるいはある時代に起こったことの経過の綿密な研究をするようになるだろうと予想している。それは他方面の歴史も概観するが、独得の専門分野をつぶさに観察しつくすであろう。そして、ある場所ある時期における人間の行動のできるだけ完全な分析の結果、道徳的、政治的教訓を見出すであろう。こうして、各学校の陳列室には、その専門的研究のために選ばれた、それぞれの時代に属する歴史的光景を描いた絵画が並べられるであろう。

以上は、皆さんが青少年教育に奉献しているなかでも重要な、一連の公共建築物に適用する芸術についてのことである。公共建築物の第二の目標は商工会議所である。この建物は今後数年間で計画が進捗し従来よりもいっそう有用になるだろう。そして最後にここで経済学上のもう一つの原理を述べるために、本論を再度中断しなければならない。それは、完全に単純明白であるが、よりいっそう理解してほしいと思っているからである。この問題は常に商業的困難に直面し、実業界の人々は実質的に受けいれないため商業上の発見が非常な妨害を受けているからである。

今かりに、六人か一二人の人々が難破して無人島に漂着し、それぞれの才覚を発揮して生活しなければならなかったとしよう。一番筋骨たくましい男は、土を掘り、木を切り、休み小屋を建てたりし、手先の最も器用な男は木の皮を剥いで靴をつくり毛皮で上衣をつくり、最も教育を受けた男は岩の中の鉄を探し、畑の潅漑《かんがい》のための水路を設計したりする。しかし、彼らの仕事は自然に分化してくるけれども、難破船の小グループの人々は、お互いの対立ではなくお互いの助力によって長足の進歩が遂げられると十分に理解している。彼らはこの助力は、彼らの相互関係において、率直で開かれた関係にあり、各自が難儀を他の人によく説明している場合にのみ、適当に与えられることを知るであろう。従って仲間の誰かが物事を秘密にしたり、人目を避けるような様子が行動の中に現れたならばたちまちに他の人々は、その人に利己的や卑劣な所業のある兆候として疑いの眼でもって見るようになる。たとえば、博識の男が夜ひそかに水門を改造しに出かけたのを見つかったとしたならば、彼は自分の畑に水を引こうとしていたと他の人は思うし、多分本当にそうなると思う。そして、またもし、靴屋がサンダルをつくるのに使う木の皮の生育地を他人に言わないとすれば、他の人は彼は木の皮のたくさんあることを教えたくないと思っていて、それは彼のサンダルと交換に、それに要したもの以上の穀物や馬鈴薯を求めることを意味していると自然に思うだろうし、多分必ずそうなるだろうと思う。そして各個人は、各自が公共の利益のために企てた特殊な業務で働いている限りは誰の認可も質問もなしに、自分が好んでやりたいと欲していることをやっても良い一定の時間を与えられるが、彼に少しでも秘密のことがあればただちに悪事を企てていると疑われ、そして説明を求められるか、あるいは仕事の中止まで要求されることになるであろう。そして、どんな仕事にも困難は必ず伴うが、それについてひとたび良く説明できれば、他人の援助によって多少とも排除できるであろう。そうして、彼らは皆秘密を持たず、彼が与えたり与えられたりする援助を、率直に与え率直に受けたりすることによって、彼らの仕事はより愉快であるばかりでなく、より有益にそして迅速に進められることは確かである。

このような、率直な交友関係や相互扶助労働の組織を辛抱強く持続することは、まさに全員に対する富と幸福との最善にして、最も豊かな結果をもたらすものである。これに対して秘密と敵意との組織からは、最悪にして最も暗澹たる結果が得られるであろう。各人の幸福と富は、嫉妬と隠匿とが社会的経済的原則となる程度に応じて、確実に減少するのである。たとえばもし、科学者がよい鉄鉱石を発見したことを公然にせず、鉱床を用心深く隠し、品不足になった鋤の歯と交換に農夫から余計な穀物を取ろうとし、粗末な縫針と交換に裁縫師に従来より余計な仕事をさせようとするならば、長い間には、科学者には何の利益ともならず損失だけが残るであろう。そしてもし、農夫が穀物の価格を上げようとお互いの稲むらを燃やしたり、裁縫師が仕事を自分たちだけで独占しようと互いの針を折ったりしても、最後には何の利益も残らず損害だけが残るのである。

さて、これらの人間行為の諸法則は、六人か一二人の行為に適用されたのと同様に、幾百万の人の行為にも厳密に当てはまるのである。すべての敵意、嫉妬、対立、そして秘密は、いかなる場合にも本質的に完全に破壊的であり非生産的である。すべての優しさ、友愛、そして開かれた交わりは、その作用において常に生産的であって破壊的ではない。抗争と排他という邪悪な原則が人類の大集団によって受けいれられた場合、重大どころか致命的な結果をもたらす。私が強調したいのは、その影響がより秘匿されるほどより致命的だということである。というのは、敵対ということは、常にそれ自身の単純で必然的な直接的な害悪の一定量をなしていて、社会が所有する富の総量から常にそれ自身の単純で必然的な富の計量できる一定量を減ずるものであるが、社会が大きくなるにつれ、それとは別なより影響の大きい悪弊をもたらすのである。この抗争関係は、それ自身の致命的な正体を商業上の複雑さとか便宜という仮面の下に隠すことと、偏狭なそして目前の仮象にすぎない福利、それは普遍的で永続的性質の害悪を有している事物によって、至るところで行われているものであるが、そうした福利の仮象にすぎない賤《いや》しい信念に基づく誤った説がたくさん生じる所以《ゆえん》である。そうして、国民の時間や精力は、お互いに惨めな闘争に浪費されるばかりでなく、つまらぬ不平や根も葉もない失望だとか、役に立たない調査やそして法律や選挙や発明における役に立たない実験などに浪費されるのである。それは、投票箱に新形の口を開いてそこから知恵を引き出してやろうとか、電線に新しい結び目をつくって雲の中から繁盛の種を引きずり出してやろうなどと期待している。しかし、全くのところ、「知恵は、巷《ちまた》で大声で叫び、広場でその声をあげ」（旧約・箴言1・20）、そして、もしわれわれが人道の平明な第一原則と平明なる天の第一教訓に従いさえすれば、天の祝福は何より深く、露よりも広大にわれわれの上に下ろうとしているのである。「正しいさばきを行い、互いに誠実を尽くし、あわれみ給え、互いに心の中で悪をたくらむな」【注】（旧約・ゼカリヤ書7・9、10）。

【注】わが国の牧師たちが信仰や善業の教理についてばかり説教しないで、少しは会衆に対して、善業とは一体何を意味するのかを簡単に説明してくれたらいいのにと思う。聖書の中でわれわれがことに信頼しとくに英国人に適するように書かれたものは、ハバクク書（旧約聖書の預言者ハバククによる書）第二章に優るものはないと思うが、私はまだ一度もこの章を引用した説教を聞いたことがない。牧師たちは皆、会衆が静かに行儀よく座って、ロマ書（パウロが著したとされる『ローマ人への手紙』）から引用した三段論法を聞くつもりでいたところへ、彼らの実践を促す聖句を彼らの胸に強く押し付けでもしようものならば、彼らが急に暴れだしはしないかと恐れているのではあるまいか。しかし、われわれが次の平明な言葉を熟読反復して胸に刻んでおけば、商業界での災禍とか悲惨な困窮などに遭遇するはずもないであろう。すなわち「彼は驕《おご》る者であるから、家に安んずることはできない。その人は彼の欲望を地獄のように拡大して、飽くことを知らない」。世人は、皆たとえ話をもって彼を非難し詩歌でもって嘲笑するだろう。そして言う。「禍《か》なるかな、己に属しない物を増し加えようとする者。禍なるかな、厚い土塊《つちくれ》の重荷を負う者」（一片の比喩の中に、財宝を貪る者の生涯を何と見事に記していることであるか！）「禍なるかな、わざわいの手から逃れるために、自分の巣を高い所に据えようとして、自分の家のために恥ずべきことをはかる者。禍なるかな、血で町を建て、不正で都を築き上げる者。見よ！　諸国の民は火の中に働き、諸国の民はむなしく疲れ果てる。これ皆万軍のエホバより出たものではないか？」（旧約・ハバクク書2・5〜13）。

船材に偽釘の頭をつけ、本物の釘は半分しか打っていない船を送り出している米国人は「血をもって町を建てよう」と思っているかもしれない（当時の英国は木材資源の豊富な米国の安価な船舶に押され北大西洋での競争力を失った時期であり、また木造船から鉄・鋼製船への切り替え時期だった）。

それゆえに、私は国家繁栄のための法則がわれわれに身近なものになってきたのだから、われわれはさらに開かれた社会づくりへ向けて注力しなければならないと確信している。そしてこれについてなすべき第一の手段は、形式的な制約から脱して実質的に重要と思われる各種の通商全般にわたって、ギルドを再建することである。ある種の産業を主要産業とするような英国の主要都市には、その産業の従事者のための会議所や公立の執行庁を設置し、それ以外の小さな都市には下級の会館を設けるのである。各会議所には職員を配し、職員らの第一の仕事はその産業に従事する人々の環境を調査することである。そして従業員が失業したときには報告させるようにし、その者に一定の期間内に所定の賃金で働く能力があり意志もあるならば、評議員会で定率の賃金で職につけるよう取り計らうのである。職員の第二の任務は、その産業で行われたすべての改良や拡張の方法を会議所に報告させることである。いかなる種類の私的特許権も許さず、すべての改良はギルドの全員に利用可能としておき、その試みが成功したならば発明者に若干の報酬を支払うだけにするのである。

これらの目的およびその他の類似の多くの目的のために、そのような会館が再び公認され、設立されるものと私は信じている。そのあかつきには、各会館を飾る絵画や装飾は会館を設立した会員に対してその職業の価値や名誉を示すよう、特別の努力がされなければならない。というのは、現代社会にある最も低劣な兆候の一つは、商人の品性というものはそもそも低劣で無作法なのだから仕様がないという観念だと思っているからである。商人というものは、現にしばしばそうであるが、怠惰で無職の人間よりも、ずっと紳士的であるべきはずであると私は信じている。そして、各種同業組合の会館にその職業にたずさわっていた人々が、国家に対して果たした功績を記録し商業や文明における大貢献をした人々の肖像画と、その人の生涯における重大事件を記録しておくことは、ともに芸術の高貴な事業だと信じている。本論からかけ離れ多岐にわたるので、本問題を詳論することはできないが、皆さんはこの主要原則の真理を直ちに理解し、容認していただけるものと信じている。そしてあとは皆さん自身で考えていただけるものと思っている。私はまた同様に、救貧院（Almshouse 主に私立で働けない高齢者などが入居する）や病院に対して何ができるのか、何をしなければならないかを述べたい。この問題については講演の補遺の中で述べようと思っているが、われわれは、今日使われている矯正施設（Work house 救貧法などを背景に肉体労働をさせた主に公設の収容施設）について、今の名称とは異なった意味で他日設立されることを望んでいる。けれども、私は皆さんを既に長時間引き止めていて、これ以上皆さんに苦痛を強いることもできないので、終わりに臨んでわれわれの研究の過程で集めてきた富に関する簡単な原則の要約だけをしたい。その原則とは、すべての善良が口にしているようにその言葉通り、すなわち「家令《かれい》としてわが代理として、汝にすべての富を委ねよう」ということである（新約・マタイ伝25・21）。

ただ、われわれは、この格言を一片の比喩としてのみ捉えている間は、多少なりともその意味するところを認めているのであるが、真意となると言葉通りに受けいれる人がいないのは、実に不思議なことではあるまいか。皆さんは、金銭について物語の形で教えられているのを御存じであろう（新約・マタイ伝25・14〜30、ルカ伝19・12〜27）。金銭は神が下僕に対して、これを活用するために与えたものである。けれども利殖の途を知らない下僕は、地面に穴を掘り、その天与の財を隠したという。もちろん財とは金銭を意味するのではなく、才気のことであり知恵であり、上流層への影響力であり、それ以外の世界のすべてを意味するのであるが、さてわれわれはこの教訓を精神的に解釈しようとする場合に、まことに巧妙で都合の良い欺瞞《ぎまん》があることに気づかれないだろうか。もちろん、われわれに才気があれば、これを人類同胞のために用いるであろう。しかしわれわれは才気を持っていない。もちろんわれわれが主教に対する影響力を持っているならば、教会の役立つものに用いるであろう。しかし、われわれは主教に対する何の影響力も持たないのである。もちろん、われわれは政治的な力を持っていない。われわれはいかなる種類の天賦の才も、委ねられていない。われわれが少しばかりの金銭を持っているのは事実である。しかしこの寓話には金銭といったような卑しい意味は含まれていない。われわれの富はわれわれ自身のものである。

もし皆さんがこのことを真摯に考慮せられれば、最初の、そして最も文字通りの解釈は、他のいかなる解釈よりも必然的なものであり、聖書の物語は言葉そのままに明白に金銭そのものを意味しているということを感じるであろう。そして、われわれが直ちにそうだと信じない理由は、才気、知恵、そして生まれもっての力と地位は実際にわれわれに与えられ、与えられるべきものだという一種暗黙の観念の作用のためだと思われる。それらの富は、われわれに与えられたものではなくわれわれに与えてくれた神に属するものだとしても、われわれがそのために働いて得たものであり、われわれの選択によって使う権利を持っているのだと。皆さんは、この問題にたいして本質的な理解を見出すことができる。美は神から与えられた天与のものであり、力もしかり地位もしかり。しかし金銭は、われわれの日々の仕事に相応する賃金なのであり、才能ではなく、当然の報酬であり、もし、われわれがそれを働いて得たのであれば、当然自分のことに使って良いのである。

金銭をつくるのに用いた力こそは、われわれが神から与えられたと自認している知力や体力の唯一の応用である、ということでなければ、私の弁解には若干の余地が残るだろう。なぜ、ある人は他の人より金持ちなのであろう？　なぜならば、彼はより勤勉で、より忍耐力があり、そしてより聡明だからである。では、誰が彼を他の者よりも忍耐力があり、聡明にさせたのであろう？　忍耐力、素早い理解、他人が逸してしまう機会を捕える冷静な判断力、他の者が失敗することでも処理することができる力——これらは才能ではない？——いや、これらこそ現在の世界において、最もすぐれた影響力のある天与の才ではあるまいか。しかも、われわれは体力の優越さを利用してひ弱な仲間を彼の場所から押しのけることを全く恥ずべき行為だと見なしておきながら、横柄にも気持ちの弱い者を何のためらいもなく彼の場所から押しのけているのは、本当に不思議なことではないか？　もし、力自慢の男が劇場や講義室に入ってきて、悠然と一番良い席を選び、隣りの弱い人の肩をつかんで後ろの席へ、あるいは街頭へ突き出すのを見たならば、皆さんは憤然とされるであろう。もし、皆さんが、筋骨たくましい男が、空腹の子どもたちが食事をしている所に押し入り、子どもたちの頭越しに腕を伸ばし、彼らからパンを奪い去るのを見たならば、皆さんは憤慨することだろう。しかしもし、頭も切れて機敏な男が、長い腕ばかりでなく、頭脳も長じていて、その能力を利用して、同じ街で同じ商売をしている人々から糊口のパンを奪い去り、あるいは彼の知力を働かせて、クモの巣のように国内に商売の糸を張り、彼自らその要《かなめ》に座り、その爪をもって一本一本糸を揺らし、彼の複眼を放って八方をにらんでいるようなことを見ても、皆さんは少しも憤ることはないであろう。皆さんは、ここには、何の不正も見ないのである。

しかし、そこには不正がある。そして世間の名誉を重んじる人々は、不正を軽蔑するときに隔りはないものと信じよう。しかしながら、ある程度までは不正ではない。ある程度までは必要であり、やむを得ないこともある。怠け者が精力家に圧倒され、またこの精力を最もよく発揮する人が、最も大きな影響力を持ち、賢者が彼の人生の終局において愚者よりも、より良い生活をするのは当然のことである。しかし、こうした理由だけで愚者は惨めな目に遭わされ、最後には叩きつぶされ、彼の行為や能力の自然の結果としてどんな苦難に陥ってもよいのだろうか？　いや、違う。皆さんは一体、愚者は何のためにつくられたと思っておられるか？　皆さんが彼らを踏みつけにし飢えさせて放置しておくためにつくられたのだろうか？　いや、そうではない。彼らは、賢者が彼らの面倒をみるようにつくられたのだ。そのことは、すべての力強い賢明な人たちにとって彼の世界での真実にして明白な事実である。賢者には力が与えられているが、それは弱者を打ちひしぐためではなく、弱者を支え導くためなのである。彼の家庭にあっては、彼は彼の子どもの指導者であり支援者である。家庭の外にあっても彼はなお父たるべきであり、弱者や貧者の指導者や支援者でなければならない。金銭的弱者や罪のない貧者のみならず、罪ある、あるいは罪に処せられるべき貧者で、もっと社会に良く理解されるのが当然であるような人、自らの行為に恥じなければならないような貧者に対しても指導者や支援者でなければならない。息子を失った寡婦に年金や住居を与えるのは、なにを言うほどのことではない。腕を折った労働者、あるいは病の床に伏している老いている婦人に食物や医薬を与えることも、何も取りたてて言うほどのことはない。しかし、皆さんが人間のわがままや無思慮との戦いに、皆さんの時間と労力を用い、間違っている労働者を間違っていない者に仕立てるまで自分の所に置いてやったり、彼の愚鈍のために失った商機を同業の商人につかませるよう指示したりすることは意義のあることである。これじたい大したことではあるが、まだより大きなものではない。もし皆さんが十分に卓越した成果をなし遂げ、そして皆さんの賢明さへの報酬として十分な富が得られたときに、皆さんが厳然としてその責任を受けいれるならば、皆さんは全国遠近にかかわらず労働の舵であり、案内者となる。

というのは、卓越した成果と富とを手中にしている皆さんは、まことに国家の権力と努力の水先案内人なのである（補遺・七＝一七二頁）。それは、善にも悪にも用いられるべき権力であって、かつて王権が国王に与えられ、軍の統帥権が司令官に与えられたのと全く同じように皆さんに委ねられているのである。そして、皆さんが手中にしている量次第で、皆さんは英国の意志と事業の裁定者となる。そして国家の事業として、国を十分に満足させられるか、否かということは、全体として皆さんの努力次第である。皆さんは、英国労働者の頭上に王笏《しゃく》を差し伸べ、彼らが従いひれ伏すならば、次のように言うのがよい。「われわれの父が闘って来た障害を克服せよ。われわれの子どもたちを絶滅させるようなこの災禍を根絶せよ。これらの乾いた土地を水でうるおせ。これらの荒地を耕せ。その土地からできた食料を飢えた人に届けよ。暗黒の中に生きる人には光明を届けよ。死に瀕している人々の所にこの生命を持って行け」あるいは、皆さんは労働者に対して、こう言ってもよい。「ここに私がいる。この権力はわが手中にある。来《き》たれ、ここに、私の玉座を築くために山を高く広く築け。来れ、人々が遠くからでも輝くのが見えるように、我が頭上に王冠をつくれ。来れ、私が絹と紫（補遺・八＝一七五頁）の上をふんわりと歩けるように、足下に敷く敷物を織れ。来れ、私が楽しむように、私の前で舞え。そして、私が快く眠れるように優しく歌え。そうすれば私は、歓喜の中に生き、栄光の中に死ぬであろう」。けれども、このような名誉ある死よりも、このような王の死んだその日に、われわれが生まれ、この美わしい歌が唄われたその夜に、子どもが妊《やど》ったということである（旧約・ヨブ記3・3）。

わが国の富める者たちのなかで、不注意や貪欲のために、手中にするはずの栄光ある職分を失うような人は遠からず少なくなるものと私は信じている。先ほど（一三八頁）申し上げたように、悪用された富はクモの巣と同じであり、絡み合い、破滅させるものである。しかし、富は善用すれば、われわれの魂を大海の底から集める聖なる漁夫の網のようなものである（かって漁夫だったキリストの使徒ペテロ、ヨハネ、ヤコブ等を指す）。その時は来るのであろうか。私は、今でもその時機はそう遠くないと思っているが、それは世界の富というこの黄金の網が、あたかも燃えるようにたなびく朝雲が大空を覆うように広がり、名誉ある平和な労働を呼び起こすとともに、光の歓びと朝の露とをもたらす時機である。英国の富める者たちよ、諸君が一度、持てる富の力によって、ただ消耗しきってしまうだけでなく、それを善く行使し、その行為を指導し、その力を運用し、無知を啓発し、全人類の生存を延長できるか否かを感じたとき、われわれが諸君の富の中から払わせようとするものは、何と少ないことであろう。それから、世才にたけている人も、その才を忠実に用いるならば、自分の行路を愉快にさせるばかりでなく、その前途を平和にさせることができるのであって、富が与えられている人たちと同様に、すべての人の子どもたちにとっても、「『長寿』は彼の右手にあり、左手には『富』と『誉れ』とがある」ということを、本当に真理であると感ぜずにはいられないだろう（旧約・箴言3・16）。

補遺

一、父権（四二頁参照）

この言説は無論、一部の政治家たちから不興を買わずにおられなかった。そして、当時のマンチェスター市の複数の新聞に掲載されたこれらの講演の批評の一つでは、この不快感を取り去ろうという努力がされている。それは「同胞」として真に敬意を払うべきは「父権」であり、それこそが「神権」であるというものである。もちろんその通りである。すべての人間の政治は、「神権」執行の表明にほかならない。政府が「神の法律」の実際的執行機関であることをやめたときには、それは専制政治になる。私が「父権政治」という言葉に付する意味は、もっと長たらしい表現をすれば「形式的な人間的方法で、『神の子』に関する『人類の父』たる神の意志を実行的に達成すること」ということになる。私は一般に向けた講演では、このような政府の「政治」の定義を述べることができなかったが、文書化しても必ずや多くの反対論が起こるだろうから留意して、そのなかでも最もありそうな反対論に回答しよう。

ただ「次に答えよう」とか、「それは別の箇所で反駁されるだろう」などの繁雑な言葉のやりとりを避けるために「O」を反論者、「R」を応答者として、簡単な対話の形で議論を進めることに、読者の皆さんの諒解を得たい。

O――あなたは父権政治というものを形式的な人間的方法で、「神の意志」の実行的達成であると定義した。しかし、神の意志は、人間のつくった法律の助けや表現を借りなくても必ず実現させるものであり、その達成に失敗はない。

R——つきつめて言うと、その通りである。その意味からすると、殺人や強盗を犯すような者たちも、この世の最も善良で親切な人々と同様に、神のご意志を果たしていることになる。しかし、狭義のこの場だけでの、かつわれわれがすることがあると限っての意味では、神のご意志はある者らによって履行されることもあるが、ある者たちによって妨げられることもある。神意の履行を説いたり強制する人々が、それに反対する人々に対する立場は、まさに家族の中での孝行息子の立場である。その息子は、父が留守のときには、父が彼らにするのと同様のことを説いたり強制したりする。そこで息子たちが一時でも、父権と表現して維持している限りでは、私が理解している意味と全く同じ意味で、父権政治を他人に対して行っているのである。

O——しかし、神が人間を試すために、多くの事柄について、人間に自由を残しておいてくれたとすれば、なぜ人間の法律が自由を制限し、大立法者である神が強制しないことをも、敢えて強制しなければならないのか？

R——どんな法律の制定に当たっても、人間の立法者に、こうしたことをする権利があるということは明白なことである。というのは、もし皆さんが、神が人間に残しておいた自由を制限する権利がないとすれば、皆さんは殺人や強盗の犯人を処罰する権利もない。皆さんは、彼らを神と自然との罰に任さざるを得ない。しかし、皆さんが人間の法律の手が届くかぎり、これらの大罪を犯して神意に背反した者を処罰すべき義務があると思うならば、同様に、比較的軽い罪を犯して神意に背反した者にも、それ相応の軽い処罰を行う義務があるのは当然である。

O――それには私は反対である。軽い罪は、法律でもって罰してはならない。というのは、軽い罪というものは適切に定義することも、確証することもできないからである。殺人が行われたか否かは誰でも判断できるが、しかし小事に関しては、人がどの程度まで不正もしくは残酷であったかということをわれわれは判定することができない。したがって、小さな事に関して法律を制定したり、適用したりしてはいけない。

R――もし、定義できないような過ちを罰したり、公平に扱えないような法律を適用しようと私が提案しているのであれば、私の提案している法律を排斥すればよい。しかし、全般的に法の原理までを否定してはならない。

O――同意する。一般的には、小事にまで適用するような法律の原則には反対である。というのは、もし法律で、小さな事柄でも偉大な事柄でも、人の全行為を規制することに成功したとしても――不可能なことなのだが――、それは試練を乗り越えて成長するという人生においてのすべての徳性を奪い去ることになり、多くの美徳と歓びを不可能にするからである。それは精神の働きや美徳を機械の運動と化してしまうことになる。

R――あなたは、いま挿入句を用いて、法律であらゆる小事まで規制することは不可能だと言われたが、私は完全にそして心から賛成する。けれども、小事を法律で規制できる程度は、それらを法律で規制してもよい程度だということになりはしないだろうか？　そうでなければ形式的に法律で処理することのできる事件と、処理してはいけない事件を区別するような判断の方法は、何をもって採用すべきであろうか？　あなたは、大罪は法律でもって禁止すべきことを容認しているが、微罪は法律で禁止すべきでないと言っている。この大小の罪をどうやって区別するのか？　そして、どう定義しようとしているのか？　あるいは、いかなる場合に人に正しい行為をするように強いて、どんな場合に悪事をなすままに放任するかを、日常生活の上でどうやって決定しようとしているのだろう？

O——こうした問題についてあなたは、正確なあるいは論理的区分をすることはできないと私は思う。しかし常識と本能で、文明国家では、殺人、盗み、姦通《かんつう》、中傷といった社会的に極めて大きな罪悪は法律で禁止するのがよいことを示している。そして、その常識や本能は、吝嗇《りんしょく》、悪口、そして、皆さんが父権でもって取り締まりたいと思っていると思われるような商業上の多くの不正直のような、法律上放任しておくべきような種類の罪悪をも示している。

R——私の言う父権政治がどんなことを取り締まれるか、ということは余り気にしないで、この問題に関心をもっていただきたい。あなたは、文明国家では、「常識と本能」とか、法律的に処理すべき罪悪と、処断してはならない罪悪とを区別していると言ったが、それは、すべての文明国の法律が完全なものである、ということを意味しているのだろうか？

O——いや、決してそうではない。

R——では、少なくとも法律で処理すべき罪悪と、放任しておくべき罪悪の区別だけは完全なのか？

O——いや、決してそうは思っていない。

R——では、一体どういう意味なのだろうか？

O――私は文明国家の法律では、一般的な傾向は、概して正しいといっているのである。そして、時が来れば自然の常識や本能が、法律の関与すべき事柄を指摘してくれるということを意味している。そして立法の問題は、各問題が現れてくる毎に別々の研究課題としなければならない。法律で処理すべき問題と処理してはならない問題とを、一般的原則で固定してしまうことはできない。

R――かりにそうだとして、あなたは英国の法律の中で商業上および経済上の事柄で、いま直ちに修正できることがあるとお思いか？

O――もちろん、あると思う。

R――では、これらについて、お互い静かに話し合おう。そして、もし私が修正したいと思っている点を、あなたが修正不可能、あるいは修正の必要がないと思うならば、そういってほしい。しかも、これまでに法律が適用されなかった事柄に、これから新たに法律を適用してみようという単なる提案に対して反対することだけはしないでいただきたい。あなたは、私のいう「父権」の妥当性については容認しているのだから、そのような政治が、どの範囲にまで拡張されるべきかという問題だけが、われわれの間に残されている。多分、あなたは子どもたちの授業時間の長短を規制する程度にしたいと思い、そして私は、子どもたちの遊ぶクリケットのボールの硬さを規制したいと思っている。しかし、あなたは、そうした事柄についての論争をする前に、私がなにをしてみたいかを知るまで、静かに待っていることはできない。

O――たしかに、私は静かには待てない。実をいえば私は最初から、かかる議論が全く無益ということがわかっている。というのは、あなたが自分に無関係な事柄に口出しをし、あらゆる種類の健全な行動の自由を妨害しようと望んでいるからだ。そして私はあなたが、実際に役立つようなどんな法律も提案できないということも知っているからだ。【注】

R――もし、あなたがそれを知っているならば、これ以上聞くことは間違っている。しかし、もし、あなたが、私に対する痛ましい疑いのためだけで図らずも時間を空費したくないのであれば、私は前もって、この同じ行動の自由について本当に考えていることを話しておきたい。それはすなわち、いかなる事柄についても、全体からみて不正なことよりも正当な行為をもっと多く保証するような法律を制定できるときはいつでも、その法律はつくるべきだということである。また、またこうした条件の下でも、法律主義（法律の規定）や形式論（形式主義）をもってしても不可能な多くの問題が残り、個人の判断力を総動員し個々の能力を行使する余地が十分に、いや十分すぎるほど残ることになる。私はこのように思うのだが、もちろん与えられた行動分野についてはそれぞれ、形式的制限の可能性を個々別々に検討することによってのみ証明することができるのであって、私の二回の講演は、その一分野、すなわち芸術の分野における詳細な検討の概略にすぎない。しかしながら、そのような可能性について次の補遺において、一、二の注意を述べてみたい。

【注】もし読者が、私のこの愚かな話に不快の念を抱かれるならば、お許しを願いたい。しかし、こうした議論は多くの人たちによってなされるであろうし、議論のこの時点での内容は、より多くの人々に暗黙の

うちに感じられているであろうことも承認していただけるだろう。実を申せば私はこの時点まで、反論者をできる限り知的な人物に仕立て上げ、彼が誰であろうが自分とは異なる人だと想像できるように試みた。

二、公的扶助を受ける権利（四五頁参照）

前述の講演の中で、労働の規制や救済金の分配の問題に詳細に立ち入って提案するのは、私には望ましくないように思われた。それは、多くの争点に触れずに行うことは不可能であり、議論の余地のある諸点について一般聴衆の前で論ずるのはたやすくないからである。しかし、今は私の一般的言明を明確にしておこうと思う。

第一に、いかなるキリスト教国民でも、その同胞の一人でも窮地に立っているならば、手を差し伸べることなく見放すことなどないと私は信じる。十のうち八、九の事柄ではその者には、物をあてがうのではなく教え諭すわけだが、そのことは彼にとって自由への干渉を意味し、戒めとなる。農家の母親が彼女の不注意な子どもが溝に落ちたのを見たならば、第一にすることは彼を引き上げることであり、第二には耳をピシャリとひっぱたき、第三にはたいていは、その子の手をつないで気を使いながら、その日の残り時間は休ませるために家路をたどるであろう。普通、子どもは泣き叫び、だいたいの場合、溝の中にそのままいるほうを選ぶ。もし子どもがいくらかの政治用語を知っていたならばきっと、個人の自由の侵害だと不満の意を表明するであろう。しかし母親は彼女の義務を果たしたのである。近頃はこのような状況下で、母としての国からの子どもである国民に対する通例の呼びかけは、狐狩りの狩人が発する言葉以外の何物でもない。すなわち「そこにじっとしていろ。今に（捕まえて）出してやる」。そして、われわれにもし、常に子どもを出してやる力があったとしても、子どもが泥まみれのままそのままにしてほしいと望めば、親切な人はそれを聞き届けなにもしないこともあり、あるいは助けを求める泣き声は不親切な人によって蔑まれ無視されることもある。しかし、われわれは彼らを救い出せない。事実、全国民は人々が氷河を渡るとき、互いにロープでつなぎ合っているように一緒に結ばれている。もしその一人が転倒したならば、ほかの者は彼を引っ張り上げて立たせるか、自分たちの危険は増大するにしても、やっかいな重荷として彼を引きずって進むしかない。【注】そして、正義の法則は、明らかにここに存し――それが明示的であるかどうかは別として常に思慮分別の法則として働くので――、この健全な扶助と干渉をいかに執行すべきかだけが問題である。

【注】二人の商人が、互いに相手を破滅させようとするのは、何とも奇妙なことである。彼らの争いは、彼ら自身が得るものは何もなく、結局は自分自身と彼の顧客とで相手の家族を無償で扶養することになるのである。

最初の干渉は、教育から始めなければならない。人々が成人した暁には、自立できるように、その力を適当に発達させておかなければならない。そして国家も、若年のうちの労働で健康を害さないように、そして知識不足のために彼らの能力を浪費させてしまうことのないように、常に目を向けるべきである。この事柄に関する諸問題は、「能力訓練学校」の題目で後に述べるが、ここで述べておかなければならない一点は、どんな階級の青年でも、いくつかの手仕事を完全に学んでおかなければならないということである。なんとなれば何事でも、ある一つの仕事を自分の手仕事でうまくできる能力を獲得することによって、その人の人生観が明瞭になるということは、全く素晴らしいことだからである。長い間、欧州の上流階級の男子はフェンシングができなければ、成員として認められなかった。今日、少年たちが公立学校で学ぶ最も有用なものは、乗馬、競艇、そしてクリケットである。しかし、国会議員たちが、オールのフェザリング（オールを水から抜いてから再び水に入れるまで水かきを水平にする）がきっちりとできたり、鐙《あぶみ》に足先をうまくはめられること以上に、畑の畝《うね》を真っ直ぐに耕したり蹄鉄をつくれることのほうがいっそう結構なことである。さて、文学および科学教育において経済の要点は実生活に直接関係する知識によって訓練することである。わが国の文学教育は、死語に関するものがあまりにも多く、久しく経済学的に無用のものになっている。そして科学教育でもしばらくの間、進歩は停滞するだろう。なぜなら科学者は自分らの学説を過信し固執しすぎ、学生たちに大局観を養ったり種々の細かい事実が興味深い連関を保っていることなどを教えるべき時間を無駄にしてしまうからである。だが、学説の体系の美を感じとり、明瞭に理解できる者は学生、いや紳士の千人に一人もいないのである。しかし、日常生活に関わる事実については、ほとんどの人がこれを理解でき、興味を持っている。植物学者がイラクサとイチジクとの間に、ある不思議な関係のあることを発見しているが、熟したイチジクなど一生見ることのない牛飼いの少年にとってはどうでもよいことで、彼にとってはイラクサが干し草にどんな影響を及ぼすか、ポリッジ（オートミールその他の穀物のひき割りを水やミルクで煮た粥。現在でもイングランドでは朝食によく食べる）にどんな味をつけるかを知るほうが興味深いことである。そして、彼が春に一度でも、イラクサの白い花が美しい輪となって咲いているのを見て、その花弁の曲線やそれが中央の軸についている具合などを、教師と一緒に研究できたならば、それは、彼に新しい生活を与えることになるだろう。同様に、化学方程式の原理も見事なものであるが、農家の子どもにとってはもちろん、たいていの紳士がたの子どもたちにとっても、台所の裏手の貯水槽の水が飲用に適しているかどうか、あるいは七エーカーの畑が砂や石灰を必要としているか否かを知る方法のほうが、はるかに身近な問題なのである。

青年が実生活に入ったときに、実際に役立つような人間になるように、彼を指導してきたのだから、彼らの個人的環境が整っていないような場合には、彼らのために、門戸は常に開かれていなければならない。各職業ごとに公立の機関をつくっておき、青年の誰でもが学業を終えて望むならば、実習生として受けいれられるように、そして職を失った人たちもいつでも受けいれられるようにしなければならない。こうした公立の工場では、規律は厳格にし、賃金は安定させ、生産品の需要の多少にかかわらず変動させず、食料品の価格の変動の範囲にとどめるべきである。工場で生産させる商品は、不時の需要にも間に合うよう倉庫に貯蔵し、そして価格の突然の変動を防がなければならない。しかし、原材料の供給の変動や自然的原因での変動による、必要な価格の徐々な変動だけは許されるべきである。何らかの商品を過剰に生産する傾向が明らかになった場合は、公立学校の青年を他の職業に誘導することで、その傾向を抑制しなければならない。そして商品の年々の余剰分は、貧者のための公的準備の主要な方法とすべきである。そうした準備は大きいほどよく、貧者に恥辱を感じさせてはならない。現在のところ、施しを受けるということに、世人は非常に異様な気持ちを抱いている。大部分の人は、政府から年金の形では喜んで受け取っているが、教区から扶助金として受け取ることは喜んでいない。この奇妙な偏見にはいくつかの理由がある。政府の恩給は通常、国家に果たした何等かの貢献に対する一定の報酬として与えられるものであることも事実であるが、教区からの扶助料も、まさに同様に与えられるものであり、与えられるべきものである。労働者が鍬《くわ》でもって国家に奉仕しているのは、中流階級の人々が剣、ペン、あるいはランセット（とがった両刃の外科用メス）で奉仕するのとまさに同じである。もし貢献が少なくてその結果、健康な時代の賃金が少なければ、健康が損われたときの賃金も少なくなるだろう。しかし、だからといって名誉も少ないということはない。そしてあたかも、上流階級の人々が国家に貢献したからとの理由で国家から年金を得るものと同様に、彼の教区から功労があったとの理由で教区からの扶助料をもらうことは、労働者にとっては全く自然で正当なことである。

教区から救援を受けるのは、若い時代にはあさはかで節約心がなかったせいだから不面目だというならば、政府から救援を受けるのはそれ以上の不面目である。というのは、浅はかな行いというものは、不完全な教育を受けた男よりも高等教育を受けた男の方がはるかに罪深いのである。そして豪勢な散財が贅沢だという上流階級は、安息を得るだけが贅沢だという下流階級よりはるかに罪深いのである。だから実のところ人々は、馬車と従卒からなる施しならば喜んで受け取る。世人には施しのようには見えないからである。パンと水と石炭とだけからなる施しは、誰でもそれらの意味することがわかっているから受け取らないのである。私は、馬車を持ってもよい人に馬車を辞退しろといったり、同時に石炭を持っている人に石炭を辞退してもらいたくはない。私は、これらの問題に対するわれわれの見解に変化があったとするなら、英国人の心にある独立心の減退が影響したのであろうと残念に思う。しかし、公的慈善を受けることに対する世人の共通した嫌悪は自立心といったものではなく、単なる卑しい利己的な虚栄心なのである。隣人の費用で生活することは嫌いではない。しかし、そういうことを告白することが嫌いなのである。避けることを望むのではなく、感謝することを嫌うのである。自分ではどうすることもできなくても、その場に臨むのである。たとえば金銭を返すことができないことを知っていても、金銭を借りるであろう。他の人々の資本で、失敗するとわかっている仕事でもやっていくであろう。自分の店で皆をごまかし、自分の家で友達から金銭をまきあげる。だが、自分は貧民で国家の援助を必要としており、救貧院に行かなければならないということだけは傲慢にも拒絶する。彼らは貧民よりは泥棒たらんとしているのである。

これらの不正直な人々が独立自営を装う欺瞞的努力や、不幸な人々が自立した生活を続けようとする苦しい努力の両方は、救貧法の運用と理解がうまく行われることによって、ある程度は調整されるであろう。しかし救援のための法規と労働に関する法規は、必ず共に施行されねばならない。そうでないと、現にされているように、不幸に基づいて生じた困窮は、怠惰、贅沢、そして詐偽によって生じた困窮と常に混同されるからである。国家が壮年期の人々を見守り導くときにだけ、彼らを辱めることなく老年期を保護することができる。その保護は彼らの佳《よ》き日々に彼らが義務を果たした、あるいはその義務の幾分かを果たしたことを承認することになる。

これらの提案が、現代の多くの実業界の人々にとって、いかに奇妙で空想的、あるいは非現実的なものに見えるかは良く承知している。彼らは、社会本来の状態は単に空漠とした無秩序で混沌としており、そこでは取れるものは何でも奪い合い、子どもや老人を泥の中に踏み倒し、ぜひともやってのけねばならないことは、買収し煽動できる無軌道な労働者の一団を使ってすませ、その後は餓えさせても構わないと思っている。われわれ（英国民）のように腕っ節が強く気丈で、押されても容易に動じず、倒されても落胆しないような国民は、ずい分たくさんの仕事をすることができるだろう。しかし、自らキリスト教徒をもって任ずる人々には、それはとるべき正しい途《みち》ではない。およそキリスト者の精神が相互いに求めるのは、子どもたちには保護と教育を、壮年期には支援か処罰を、老年期に必要とあれば報酬あるいは救護といったものであり、これらすべてのものは十全に惜しみなく与えられなければならない。それらのものは前述のような体系をもった組織からのみ与えられる。

三、能力訓練学校（四九頁参照）

読者は、現在の制度下【注】でわれわれがどれほどの絵画の天才を失っているか、また提案した能力訓練学校でもってどれだけ得られたかと、真剣な疑問を抱いておられるかもしれない。それも当然で、現時点ではわが国の画家は応分以上に多過ぎ、それも物の数に入れたくないような者ばかりである。そして真の才分のある若い画家たちは、陥った苦境からいかに脱するかに直面している。

【注】この講演で、芸術作品は国家的財宝であり、この種の富の生産を容易にするために絵画や彫刻の才のある人々を他のすべての職業から引き揚げることが望ましい、と仮定しておいたことはご承知であろう。しかしこの仮定では、芸術作品は国民の金銭的財源を増すものであるとか、あるいは卑俗な意味で国民の富の一部を形成するものだとは意味しない。国内における絵の売買の結果は、単にある一定額の金銭が購買者Bの手から生産者Aの手に移転されたにすぎない。最終的には、その金額は結局元のままであり、ただAはBの代わりにその金銭を支出し、Aの労働は他の生産工程から引き揚げられる。Aは穀物を育て家を建てようと思えばできたのに、誰も食べられもせず住むこともできない、絵を描いていたのである。だから売買が国内で行われたのであれば、Aが他の理由でその絵のためにBが支出した金額よりも、合理的かつ有用に支出する可能性が高いと思われる場合を除き国内の金銭的財源は何も付加されるものはなく、

減少するだけである。もし彼の絵や他の芸術作品が外国で売れたとか絵と交換に金銭や外国の有用な品物が輸入されたのであれば、そうした売買は売り手の金銭的財源を増加させ、買い手の国の金銭的資源を減らすことになる。こういうと最初は変に聞こえるかもしれないが、経済学というものは諸国家間の利害の分立ということには一切無関係なのである。経済学とは国民の事務を処理することを意味し、それは一国のみの事務の処理かあるいは一国とみなされた世界の事務の処理を意味している。個人間の取引がAを富ませるのと全く同様にBを貧しくする場合に、経済学者は個人同士の非生産的取引とみなすようになる。そしてもし国家間の取引が一方を富ますのと全く同様に他方を貧しくさせると、経済学者は二国間の非生産的取引とみなすのである。それ自身は無価値なものでも、ある他の国との取引で交換価値を持たせるようになるか否かは、経済学上の一般問題ではなく特定の地域的得失の問題であるにすぎない。経済学者は為されたことあるいは生産された真の価値だけを考慮するのである。そしてもし、たとえばスイスが英国に売るために木工品を生産するのに費やした労働量を見て、すぐに英国の購入者が商業的に貧しくなるのに対し、スイスの販売者を富ますことに対応させ、木工品そのものが世界の富に真に追加させるものであるならば取引全体を生産的と考えるのである。自国に最大の利益をもたらし他国には最小の利益を残すような国法の整備は経済学の一部ではなく、詐欺科学の広範な適用にすぎない。このように抽象的に考えれば、絵画は日ごとに得られる快感や教訓の量を除けば、世界の金銭的な富を増加させるものではない。しかし、高価な芸術品は、富に対して一定の保護作用を及ぼすものであり、その価値を評価する際には考慮しなければならない。絵画で住宅を飾る人は概して、壁紙、カーペット、カーテンやその他の高価で消耗しやすい贅沢品には、あまり金をかけないものである。優良な芸術品は書籍と同じように、それを保存している部屋に保守的効果を及ぼすものであり、図書館の壁や絵画館の壁は、他の部屋の壁紙を張り替えたり鏡板が取り替えられてもそのまま手をつけずに置かれる。もちろんこうした効果は、絵が壁そのものに描かれていたり鏡板の上に固定された枠に張られた画布とかフレスコ画ではさらに明確になる。これには、もちろんすべての不必要で気まぐれな変更から建築物を保護することも含む。そして概して言えばどの国でも絵画や彫刻に従事する者を多く配することは、滅びやすい奢侈《しゃし》に耽《ふ》けようとする人心の傾向を阻止するものだと思われている。しかしながら芸術作品は宝物であるという私の仮定の中では、こうした付帯的な金銭的結果は考慮に入れていない。私は芸術作品という宝物を、単に愉しみと垂教を与える恒久的な手段とみなし、芸術作品が愉しみを与え教訓を下せるいくつかの方法を示し、われわれにはできるだけ多くの画家をつくることが有用で好ましいことだということを、ここで仮定するにとどめておく。

それではいけないのだが、真の芸術家としての才能を持っていない若者が、天与の才を持っていると勘違いして芸術家になろうとする心の特徴を分析するのは難しい。しかし実際には、多くの若者がこのようなことをしており、いま世に出ている芸術家の大部分は職業選択を誤った人々である。現代生活の特殊事情下の大都市では、若者たちの眼前に芸術はほとんどあらゆる形式で展示され、若者の想像力は借物の思想で満たされ、心が不完全な科学で満たされるのは自然の成り行きである。それが単に機械いじりの働き口が好きではないだけでうんざりし自尊心を傷つけられて、徴兵に応じたり船乗りになるのと同じような気持ちで画家になる若者たちがずい分多い。そのほかにも彫刻家やその他芸術家の子どもたちで両親から職業芸術家の生活について教えられたが、彼自身何の天分にも恵まれていないために、生計を立てるために不面目な辛抱をしながら従事している者もいる。彼に野心でもあれば、機械的手腕を発揮し空想的でけばけばしく前例のないような応用で、人々の歓心を得ようとし競争者と張り合ったりもするだろう。本来、多くの者は真剣な気持ちで主義にも忠実なのだが、芸術への愛のために役立ちたいという想いや感情の鋭敏なことを芸術的能力だと取り違え、道徳的で教訓的な絵の製作に一生を費やす者が多いのである。その絵画はまさに、ならず者でなければ画家になれないと思っても差し支えないものである。他方、最良の芸術的知能の多くは、日ごとに他の副業に携わっているうちに失われている。概して言えば、称讃するに価するような芸術家となるべき性質は、謙遜で従順なもので、ささやかなことにも多大の興味を示し、不遇な境遇においても自らを楽しませることができるのである。これらの性質に加えて、どんな位置におかれようとも自らの責務を果たそうとする強固な良心と、人間の技量の実際的方面のほとんどすべての面で器用な工夫をする力とがあればよいのだが、このような芸術家魂を持つ者は少ない。そして非常な謙遜と良心があれば画家としては完全なのだが、そのためにその人が画家となることを妨げていることは、多くの例で見られるように疑う余地のないことである。そして、腕のたしかな職人、賢明な製造業者、黙々と不平を言わずに働く店員のような静かな生活の中に、わが国の公共事業の指導に抜擢《ばってき》された人や、あるいは社会の称讃の的となるような人以上に、大きな天才がしばしば隠れているものである。

なるほど、芸術に対する強い憧憬は、もし周囲の事情が、その前途に横たわる困難を克服しようとする気がありさえすれば、どんなにおそろしい障害物でも克服するであろう。しかし、もしチマブーエ（一二四〇頃―一三〇二頃。ゴシック期フィレンツェの画家、ジョットの師）が絵を描いているジョットを偶然見かけなかったら、あるいはアペニン山中の羊飼いたちの間に、チマブーエによって発見される別のジョットがいたら、ジョットは羊飼いにすぎなかったと結論づける根拠はない。われわれには好都合な偶然を「特別な神の恩寵」と呼ぶ習慣が強すぎる。そして、何か大事業を果たさなければならないときには、彼が羊飼いであれ船の給仕であれ、「神の摂理」によって指示されたと思って実行し、あらゆる種類の小摂理が働いて、最善の方法の下にその準備がされているものだと考える癖が強過ぎるようである。しかし、神の働きの類推は、これらと全く反対のことだと証明している。「幾千とある種子があっても、神は往々にして一粒だけを実らせ」、時には一粒も実らせない。そして神が実るよう約束した一粒の種子でも、それを育てる農夫の努力によって、悪い種子にも完全な稔《みの》りにもなるのである。そして世界の歴史を広く論理的な見方をすることに慣れている人は、神の摂理は世界の出来事をこの収穫と同様な方法で支配していること、アザミの種子や果実と同じように、良い種子も悪い種子も人間たちの間に播《ま》き散らしていること、そしてわれわれの勤勉さと農業上の知恵に応じて、土地はイチジクをもたらしたりアザミをもたらすことを知っている。それゆえに、世界のためにある仕事をする必要があると思われるが、それをする者がいないときに、神はそれをすることを欲しておられないから、できる者を送られないというのは正しくない。もし、私の信念を書いたとすれば、私は「確かに」とするところであるが、おそらく神は、その事業をやれる多くの人々を何百人と送って下さっているのに、われわれは彼らを排斥し叩きつぶしているのであり、われわれの過去の愚かな行為や制度のためにわれわれは彼らを見分けられず、手を差し伸べることもしなかったのである。彼らを必要とするときが来て彼らを得たいと苦しんだとき、神は救援者を送ることを拒まれたのでなく、われわれを苦しませようとされたのでもない。神は送られたのであり、われわれが救援者を拒んだのである。そして、あたかも国民のため畑を耕さず種子を播かなければ、必ず飢饉《ききん》が神の永遠の大法によってもたらされるのと同様に、われわれは神の永遠の大法によって苦しむのである。もし、鍵が鍵穴にぴったり合うようにその事業を果たすのにぴったりな者が見つかったならば、彼を鍵穴に合うように鑄直《いなお》している間に起こった偶発事も、まさに彼を援護してやったのだ、というように考えるのも誤っている。歴史家が偉人らの幼児期の歴史を調べるときに、偉人が果たした仕事にふさわしいようなことは些事でも採り上げ、明らかに偉人にはふさわしくないような事柄は一切無視し、自らも読者をも欺いているのは哀れむべきことである。そうして、すべての点で彼の事業の遂行するのに適するように奇蹟的事件が準備され、周囲から期待され希望されたように成就したと結論している。しかし確かな事実を言えば、彼らの生涯を通じて彼らは何度も支援され訓練されたのとまさに同じ程度に、妨害されたり毒されたりしているのである。そして彼に対して正当にみなされる限りの、最も親切な最も尊敬した見方からいっても、彼らは誤った社会を相手に苦闘する、より誤った人間にすぎなかったのである。彼らは確かに数多《あまた》社会に背かれあるいは数多社会に背いて、彼らの望んだものとは裏腹の結果に到達したのである。それはおそらく彼らがなしえたことでもなく、当然なすべきだったことでもないのに、すべては社会の抵抗と戦い、彼ら自身を裏切ってなしえた事にすぎなかったのである。

そのような次第であるから、賢明な国民の実際の責務は、第一に青年を破壊的影響からできる限り遠ざけることである。次にその器量を磨き、その善良なる素質は残らず利用することである。「破壊的影響から引き離す」と言ったが、それは青年たちを試練に遭わさないということではなく、青年たちを悪意の塊のようなやり口から引き離しておきたいだけである。芽の出たての穀物に日除《よ》けや霜除けをつくれということではなく、ただ浸水を防ぐために溝を掘り、鶏を追えと言っているのである。青年たちを働かせ、苦労させよう、しかし彼らを飢えさせたり、盗みをさせたり不敬な言葉を吐かせてはならない。

もちろん、私が教育上の計画の細目に立ち入ることはできない。そして、現に進行している実験の結果が、この題目に関する最も困難な諸問題を解決する資料を与えられるまでには、相当日数を要するだろう。その難問の主なものは、すべての人々に栄達の機会を広げることであり、能力の面から高級な職につく資格がない人々が、下級の業務に配されても不平を言わないよう両立するにはどうすればよいかということである。しかし、能力訓練学校の一般原則は、この問題の根底にある。この学校において与えられた知識と規律はすべて人間の魂の大いなる定量の一部をなしているのに違いなく、そこで試練を受けた心と能力だけが最善の実を結び、その他は実を結ばないように、ある者は知識を増加されある人は訓練を受けるのである。しかしながら、一言しておかなければならないことは、こうした訓練を行うとき、競争はすべて誤った手段であるということである。少年時代に良い結実をもたらそうとする真の力の表われとして認められるものは、仕事のために仕事をしようとする少年の意志であって、学友を追い越してやろうというのは彼の願いではない。教育の目的は、彼の個別的天分を彼に示し強めてやることでなければならない。永久に彼よりもすぐれている者を相手に、果てしない競争に追い込んではならない。最も優秀な者の首にメダルやリボンをかけて他の者をうらやましがらせるのは、なおさらいけないことである。彼らを、彼を愛するように、そして彼がついてくるようにし、彼と争うことのないように努めなければならない。

能力の進歩と相対的な能力を確認し、証明するための試験はもちろん必要である。しかしわれわれの目的は、競技場において目前の勝利者とさせるよりも、生徒に自分自身の世界における真の地位と力量を確認する方法とみなさせるようにすべきである。私はこの講演の中で「芸術における真の価値」の根源としての相対的な能力や個人的性格の本質について、おそらくは十分に力説しなかったと思う。今日、あたかも市場価格のある芸術は、一般の人々にその生産方法を教えられる商品であるかのようであり、あたかも「能力」ではなく「芸術家教育」が、芸術作品に真の価値を与えるがごとくの傾向が強すぎるのである。けれども、こうした考えほど馬鹿げた不合理なものは他にはないであろう。人々が、お互いにどうやってするかを教え合うものは、何事でも人々は普通の工業としてだけ評価するだろうし、評価すべきものである。教えられることのできないもの、つくった人からしか購入できないようなものを除いては、高い値段をもたらす物は何もない。どんな社会状態になろうが、どんな知識の発達段階であろうが、ある人が他の人よりすぐれた資質を持っているということは決して取り去ることができない。そして、芸術品に対して高い市場価値を与え、そうすべきものこそ、その卓越性であり、それだけである。国家が、同じ価値のある多くの芸術家を所有していると考えるのは誤りであり、国家の進歩にとって悪い徴候である。高貴な芸術は偉大なる精神の表現にほかならず、偉大な精神は決してありふれたものではない。われわれが、偉大な精神が生み出した作品と他の作品とを混同するようなことがあれば、それは寛容によるものではなく全くの無知によるのである。

四、社会の嗜好（五〇頁参照）

「社会」に対する行動における人格者と小人の間に見られる相違を端的に、あるいは一般的に述べることは非常にむつかしい。本文で述べたように、小人は社会の要求するままに従うが、反して社会に絶えず不平を言っているような人間のほうに最も愚劣な人間があるものである。そして「天才」を自任し公言し、あらゆる修養やささやかな仕事を拒絶して、遂には惨めに世を恨みながら零落して終わる人間もいる。そして、高潔な人物は考えられないほどの謙虚さで、どんな仕事でも指示でも誰からのものでも受けいれる。彼らは誰からでも学び誰が望んでいることでもやり、それが骨折りに終わろうと他人が下らないことだと思うようなことでもやるが、それ以外には取り立てて目立たない者もいる。しかし、それにもかかわらず社会と彼らの間には名誉、不名誉の問題ばかりでなく、「事実」の問題に関して、いつか必ず争いが起こってくるのである。

かの高潔な者は常に最後には、社会が見ることのできないある物を見られるようになる。そのとき、彼は、そのある物は確かに自分の見た通りのものであって、世間の見ているようなものではないと、口舌をもってか持論でもって主張して譲らない。これに対して世界中が束になって反対しても、彼の言を翻させることはできない。もし世界中が彼の言うことに反対すれば、彼は自説のために石を投げられたり焼き殺されることもあるだろうが、それは彼にとって何でもないことである。もし世界が彼の言に特別の反対をしなかったならば、彼は一生死ぬまで呟《つぶや》いているだろうし、愚か者扱いされるだけである。それでも彼は何とも思わず、自ら事実を認識している通りに呟いて左右に起こる紅海の壁に打ち寄せる大波の咆哮など一向に気にしない（旧約・イザヤ書51・15）。だから社会と彼の間には、いつの日にか必ず争いが起こるはずである。それなのに、卑《ひ》怯《きょう》な者は社会が彼に注目をしてくれない間に、社会に向かって勇ましく唾を吐きかけたり引っ掻いており、拍手をする者がいればどの方角にでも頭を垂れ、拍手が耳に達したときにはもう一度拍手を得ようとして心にもないことを言うのである。そして、このようにして、この文中でも初めに言ったように、彼と社会は円満に手を携えていくのである。

しかしながら、卑怯な男の頑固さが高潔な者のそれと似て見えるときもあるが、近づいてよく見るならば、前者の執拗さは「自我《アイ》」を主張しているのに対し後者では「社会《イット》」を主張していることに気づくであろう。

五、新需要の創出（七〇頁参照）

経済学者は、文明生活の豊かさは想像上の欲望から起こるものであり活力や文化も同様であるという、部分的には根拠のある着想に混乱させられなかったなら、本文【注】で述べた謬見《びゅうけん》に長いこと辛抱することはできなかっただろう。なるほど食料、小屋、そして睡眠、さらに鹿に罠を仕掛け、小屋のこわれを修理した後の余りの時間は動物的な安息に耽っている未開人は、文明の贅沢品を得ようとして絶えず労働している人間よりも下等な状態にあるのであって、まことに真実である。また、進歩力という面から見た、ある国民と他の国民との差違も大部分は虚栄的欲望によっているもので、これらの怠惰な動機は単に国民の心身を鍛えるようなものであると考えるべきで、こうしたものが勤勉心と取得欲の習慣を養うという意味だけを除けば、富の源泉ではないことも真実である。もし、不器用で怠け者の少年がいて、サクランボの種子に彫刻させるとか凧《たこ》を飛ばすことをさせられるならば、われわれは有益なことをしたことになるだろう。彼の指や四肢をこのように活用することが、やがて彼を裕福で幸福にしないとも限らないのである。そのためにサクランボの種子が有用だとか、凧揚げが時間を有効に活用するといったことを論ずることでは決してない。同様に国家は常に安手の新需要を創出しようと、時間と労働を「直接的に」無駄にしている。しかしそのような需要の掘り起こしは健全な活動の徴候であり、新しい需要を満たすために行われる労働であって、「間接的」に有用な発見や高貴な芸術につながるかもしれない。ならば国民の表現力が弱すぎ愚かすぎ、表現以外の何かに駆り立てられたり、初めから真剣に取り組むことができなくても、表現力の乏しさに落胆する必要はない。もし国民が鉄を鍛えようとせずラベンダーの花の蒸留を好むならば、とにかく蒸留するためのラベンダーを与えるのがよい。しかし経済学者に対しては、ラベンダーは燕麦《えんばく》のように有用で、学童の凧が夕食を供給する以上に貧民の生活を助けるものだなどと思わせてはならない。国家的であろうが個人的であろうが、奢侈の対価は、有用な物の生産から引き揚げられた労働によって支払われなければならず、どの国民もすべての貧者に心地よい住処《すみか》と食物が与えられるまでは、贅沢に耽る権利は持たないのである。

贅沢が意気を沈滞させる影響と悪徳を増長させるような傾向について、この論文中では全く考慮しなかった。しかし、これは今まで論じてきた問題に関する限り、私がとってきた立場にいっそうの根拠を与えるだけのものがある。従って本件においては、文明生活における贅沢は無害なもので、それを獲得するために奮発心を起こさせるものとして有用なものであると仮定しておこう。そうした好意的な前提に立ってさえ、国民は厳しい制限の下を除いては贅沢に耽けるべきではないとの結論に至るのである。ましてや、贅沢品の所有が招く誘惑や生産中に生じる重大な出来事が、それらを得る努力によってなされる善にもまして悪を招くようならば、なおさらである。

【注】私がこういったのは、経済学者を信用しすぎたからである。実際、この原稿を印刷中に、商業界の危

機の現状と題する報告が、ニューヨーク市会議員（common councilman）によって、無神経かつ広範に誤りも正されずに、公式にそのまま発表されている。一八五七年十一月二十三日付の「タイム」紙に発表された彼らの総合的意見は次の通りである。「もう一つの誤った考えは、贅沢な生活、華美な服装、結構づくめの設備、しゃれた家屋が、国民にとって不幸の原因をなしているということである。これ以上の誤った印象を与えるものはあるまい。一〇万ドルないしは、一〇〇万ドルの財産を持つ人の耽る贅沢の一つひとつは、労働と知力と趣味以外には無一物な人の一〇人ないしは一〇〇人の財産、生計、富を増すものである。もし一〇〇万ドルを持った人が、十年間で元金、利息とも使い切ってしまい、遂には物乞いになってしまっても、その人は事実上、彼に贅沢をさせてくれた一〇〇人の雇用主や使用人をつくり、自分の富の分配によって、それだけ富ませたことになる。その贅沢をした人は没落するが、国民はいっそう安楽になり、そして富むようになり、各自一万ドル持った一〇〇人の心身のほうが、全部を一人で持っているよりも遥かに生産的である」というのである。

市会議員諸君よ、ごもっともである。しかし、それだけの財産が移転する間に、一体どんなことがされたであろう？　財産の消費には一定の年数、仮りに十年もかかっている。その間に、一〇〇万ドル相当の仕事が、その金額を支払われた人々によってなされたのである。その仕事による成果は、どこにあるのだろう？　皆さん自身の説明によると、すべて使ってしまったというが、その仕事をさせた男は今では物乞いになっている。したがって皆さんは、国家として一〇〇万ドルに相当する仕事を十年間にわたって与えながら、結局は物乞い一人をつくったことになる。何と素晴らしい経済か、諸君！　当然のことながら一人ですむわけはなく、もっと多くの物乞いをつくることになる。おそらくもっと身近な例によれば、事はいっそう明瞭になるかもしれない。もし、学童が朝に五シリングをポケットに入れて出かけ、タルトを食べるのに遣い、無一文で帰ってくる。元金と利子は消えてしまい果物屋とパン屋が儲けた。ここまでは順調である。しかし、その子どもが代わりに本とナイフを買ったとしよう。元利とも消えてしまい、本屋と刃物屋が儲けた。しかしその子も豊かになっている。そして翌日には、ベッドに横になって医者に借金を背負う代わりに、学友たちにナイフと本で手助けすることができるかもしれないのである。

六、文学の経済論（八七頁参照）

私は、多量の書籍が出版される結果生じる、あることについて、このところ深く感じるものがあった。それは理解するのに忍耐を要するものは、何事によらず理解することが不可能だということである。私自身の著述の場合にいつも思うことだが、もし私が何事かを確かめるために幾分苦労した事柄を述べた場合には、読者もその内容を受けいれるために一、二分間の熟考を要するが、私の記述はたいていの場合誤解されるだけではなく、意味する内容はまず間違いなくほとんど逆の意味にとられる。私の表現方法にどんな欠点があるとしても、私の用いる言葉はジョンソン（サミュエル・ジョンソン。一七〇九―一七八四。イングランドの文学者。初の本格的な英語辞典〝A Dictionary of the English Language〟の編纂者）の辞書には、まず私の用いた意味が最初に出ている。また文章は下手かもしれないが、普通の文法では、私が含めた意味以上の解釈はできないのである。それだから私の文章に対する誤解は、結局その内容の理解に幾分かの忍耐力を必要とするという事実から生ずるに違いない。他の著述家の文章でも、理解するのに同様の思考が必要なときに同様な誤解が生じる例を見ている。

　私は当初、このことについて少々落胆していたが、全体としては将来わが国の文学によい影響を与えるだろうと信じている。おそらく衆人は再び忍耐を回復するようになるであろう。確かに著述家にとって、できる限り少ない言葉で言わんとするすべての事柄を言わないと読者はきっと読み飛ばしてしまうだろうと感じたり、あるいはできる限り平易な言葉で表現しなければ読者はきっと誤解するだろうと感じることは、素晴らしい教訓になる。また概して言えば、まぎれもない事実は明快に表現でき、そのまぎれもない事実こそ目下何よりも望まれているのである。そして、道理をわきまえた人々が思考力不足の悪影響について嘆くのをしばしば耳にしているけれども、私から見ると人間の陥りやすい最も悪い病弊の一つは、思考の病ではないかと思われる。もし、ある事物がこうでなければならぬと思う代わりに、ただ一目「見る」【注】ことさえすれば、あるいはそんなことはできないと考えてばかりいる代わりに、それを「実行」しさえすれば、われわれはすべてにおいてはるかに改善されるはずである。

【注】しかし、この「見る」ことをやってみようと企てる人々を、現代人の性急という傾向が有害な方向に導いていることは、疑いのないことである。私は、ヴェネツィアの建築年代史の研究に三年間の精密な間

断のない努力を費した。二度の長い冬は、詳細の製図に現場で費やした。それなのに、ゴンドラに乗って三、四日ばかり運河を上り下りして通り過ぎた建築家が、彼らの第一印象はあたかも私の苦心の末の結論とまさに同一であるとするごときものによくお目にかかる。たとえばストリート氏（ジョージ・エドモンド・ストリート。一八二四―八一。イギリスの建築家。ロンドンの王立高等法院の設計者として知られる。ラスキンの信奉者・後継者のウィリアム・モリスの師でもあった）は、足早にドゥカーレ宮殿（ヴェネツィア共和国の総督邸兼政庁だった建築。住宅、行政府、立法府、司法府、刑務所などの複合機能を持っていた。ラスキンの『ヴェネツィアの石』に詳しい）の正面を一瞥しただけで、その紋様がどんなものだったかすら見ていないし、街角の中央にある赤と黒の縞模様を見逃している。にもかかわらず氏は、ゴシック建築考古学全体を通じて最も複雑でむつかしい主題の一つである頭柱飾の年代史についての意見を大胆にも述べている。それは一カ月間も一生懸命研究した人ならば、相当正確に確かめることができるのかもしれないが、他の人には到底できないことである。

七、国家の水先案内人（二三九頁参照）

富の所有者すべてには、疑いもなくこれらの（実行の）責任が課せられている。同時に疑いなく必要なのは、すべての人々の財産権は守られるということを念頭に、慈善のために金銭を使うことについて厳格すぎる主張は回避し、富は明らかに骨折って働いた個人に対する「報酬」であるのだから個人が自己の愉しみに消費することは自由であることを是認することである。というのは、富から得られる純粋な喜びは利己的なものではないけれども、大多数の労働者が望むのは個人な満足を得るための手段にすぎないのだし、正直に得た富の自由な消費に対して厳しく反対し、世論操作によって労働者の活力を阻止することは、誤った政策以上の誤った道徳と言わざるを得ない。もし生涯を事務机や勘定台で過ごす人が、ついには気まぐれ気分を無邪気に満足できないのなら、それは酷なことであろう。そして、施しを受ける者の心に施しは道徳上の要求だという気持ちが、温かい感謝の念にとって代わったときには、慈善の神聖なる結末は直ちに失望に帰してしまうであろう。

この点においてわれわれは、稼いだ富と世襲した富とのあいだに、ある種の区別を自然に設けている。土地の賃貸を構成する租税の形態は、国富の一定部分を貴族または土地の他の所有者の手に、その効率的な管理に最善の注意を払わせるように特別に計算された条件の下に毎年置いている。学校や大学などの面目にも関わることであるが、最も簡単な商業や経済の原則ですら十分な教育をしなかったことは、多くの人々を破滅させ無為徒食に陥らせることになった。しかし、この公共教育における欠陥は永くは続かないだろう。そして貴族や土地所有者らの層から、科学の進歩や芸術や文学の保護の面で賢明な金銭の使い方の模範を示せるようなことがあれば、国家にとっては極めて有利なことである。ただ彼らが注意しなければならないことは、彼らがこれまでにしてきた以上に確固たる立場を守ることである。というのは、今日の実生活においては、富める者と周囲の人々との関係は、経済学者もそのように考えているように、本来あるべき姿とは正反対なのである。富者は常に、いかにして他人のために自分の金銭を使ったらよいかを考えるべきである。しかし他人は現在のところ、どうしたら富者をだまし表面上は富者自身のために金銭を使わせられるかを絶えずたくらんでいる。社会の目に映ずる富者の姿は、概して金袋をしっかり握りしめ、力づくでなければ絶対手放さないと決心している者の姿である。そして周囲の者たちはすべて、どうやって力づくで金を取るかをとたくらんでいる。つまり、富者にどうすれば、このものあのものを欲しがらせるように説得できるか、あるいは彼が熱望して買うような物をつくるためには、どうすればよいかをたくらんでいるのである。ある者は、彼に香水を欲しがる気を起こさせようとしているし、またある者は宝石を欲しがらせようとしている。別の一人は砂糖菓子を、さらに別の者はクリスマスにバラの花を欲しがらせようと試みている。彼のために新しい需要を開発することのできた者は、誰でも社会の恩人だと思われている。こうして彼の周囲にいる貧しい人々の活動力は、絶えず世に役立つ物の代わりに富者の欲しがる物をつくるように向けられている。そして富者は一般に、世界から陰謀の包囲を受けている大馬鹿者といった側面を持っている。であるから、富める者が備えなければならない真の姿は、他者より賢く、巨大な資本の運用を任され、全員の利益のために運用し労働者各人が最も健康に働けるよう、そして社会のために最も役に立つよう指導するところにある。

八、絹と紫（六九・一四〇頁参照）

私は、本講演中の所々で、生産的労働と非生産的労働の間の、さらには真の富と偽りの富の間の区別について言及してきた。私はここで私の言う区別について、できる限り明瞭に説明してみたい。

財は、一般に生命を生産するものと、生命の対象物を生産するものの二種類に分けられる。生命を生産ないしは維持する財は、栄養の範囲をこえない食料、身体の保護または暖をとる範囲の衣服と家屋、燃料、そして食料、家、衣服および燃料をつくるのに必要なすべての土地、器具あるいは原料とから成っている。これらは、特に、まさしく有用財と呼ばれるものである。

生命の対象物をつくる財とは、快楽を与え、あるいは思想を示唆し保存する一切の物、それは舌や眼に快楽を与える程度の食物、家屋、土地、贅沢な衣装、その他あらゆる種類の贅沢品、書籍、絵画、建築とから成っている。しかし、人間の労働と財の様式をいっそう細かな関係を見るためには、二項目以上に分けることが望ましい。したがって便宜上、財を五種に分類して考察したい。

①第一種の財は生命に必要なものであるが、労働によっては生産ができず、それゆえに生まれてすぐに各人に属し、道徳的に譲渡不可能なものである。たとえば、それなくして呼吸し得ない相当分量の空気とか、喉の渇きを癒やす分の水などである。食料の供給に必要な程度の土地も譲

渡不可能であるが、良く制度の整えられた社会では、それだけの量の土地は往々にして他の所有物で代表され、あるいはそれだけの需要は賃金や特権で供給されている。

②第二種の財は生命に必要なものであるが労働によってのみ生産され、その所有は道徳的に労働と結びついている。それであるから、この財の生産に必要な仕事のできる人はその仕事を完了するまでは、それに対して何の権利も持っていない。すなわち「働かざる者は食うべからず」である（新約・テサロニケ人への第二の手紙3・10）。それは、質素な食料、衣服、および住宅と種子と原料、あるいは器具と機械や牽引や移動に必要なために使用する動物、その他から成りたっている。この種の財は、一般にある限度以上には増加できない。というのは、それは労働にのみ依存しているだけでなく、その物の供給は自然によって制限されることに注意すべきである。穀物の蓄積可能量は、所有している穀物の耕地、あるいは営利的に採算に見合う土地の面積に依存し、鉄鋼の蓄積可能量は、同様に石炭と鉄鉱石の利用可能な量に依存している。この供給の自然的制限のために、この種の財の蓄積がある一地点で、あるいはある個人の手に大部分の量が蓄積されたならば通常、多少なりとも他の地点と他の人々の手に欠乏を来すことになる。したがってある事件なりある個人に大部分を独占させるようなエネルギーというものは、他の人がどれほど働こうという意志を持っていても、それを十分に取得することを部分的に妨害するようになる。それゆえに、すべての人々に公正に確保するためには、この種の蓄積と分配の様式は、国法や国際法によってある程度規制されることが必要である。

さらに、この種の財に関してもう一つ注意すべき点は、生産するにあたって保存され分配されることが可能な種類のものだけを生産するならば、いかなる仕事も無駄にはできないということである。なぜなら、われわれが生産するこのような有用物の一粒一粒が、それだけ多くの生命を地球上に生み出しているのである。【注】しかしよく考えてみるならば、われわれは確かに人を雇用しているが、より有効に働かせているとは確信できない。というのは、われわれはもっぱら使役を生活の対象物に対して意をとどめず、生命そのものの生産に直接に傾注して、文明、学問、そして道徳を犠牲にして人口を増やすこともできるし、一方反対にややもすれば世間も最も陥りやすい過ちになるが、生活の対象物に向けて労働を導きすぎて生命のための生産ができなくなってしまい、人口を犠牲にまでして贅沢や学問を増加させることも同様に可能である。正しい経済学では、二つの極端の中間の釣合いのとれた所に目標を置いている。すなわち、国土に野蛮人を蝟集《いしゅう》させることも、砂漠の真ん中に宮殿や大学を建てることも望ましくないのである。

【注】この点はしばしば論争されている。たとえば先日ミルの経済学を開いたところ、偶然次のような一文に出合った（ここでラスキンの言っている著作は『経済学原理 Principles of Political Economy 一八四八』と思われる。ジョン・スチュアート・ミルは一八〇六―七三。イギリスの政治哲学者、経済学者。労働者の貧困の一因は、労働者の数が増加するにつれて労働の収穫が逓減するという不変の物理的法則によるとし、他方では大衆の執拗な繁殖行動によるものだと主張した）。すなわち、一枚のコートをつくる人はもしそのコートを着る人がそれを着ている間に何か有益なことをしない限り、ただパイナップルばかりを栽培している人以上に社会に対して利益を与えていないという。しかしこの説は余りにも機微に立ち入って考えす

ぎたための誤った解釈である。人の生命は私たちには役に立たないかもしれないが、彼自身の役に立たないと言う権利は誰にもない。そしてコートをつくり、それによってある人の生命を延ばすことのできる人は、たとえどんなことがあってもその延びた生命から素晴らしく有益な仕事をしたと言える。われわれは、コートを着た人に「コートを着て世間のために何も有益なことをしないあなたは今、あなた自身や他人の生活を浪費している」と言ってもよい。しかし彼の存在が浪費されているとしても全く浪費され尽くしてよい、と言う権利はない。それは、この地点ではたった一本の細い金線が、その先ではやがて強靭で立派な鎖に変わり、それには何千もの生命がすがりついているのと同じかもしれない。話は変わるが、コート製作者についての単純な事実は同胞に多くの生命を与えるが、その結果は計算することができない。それらは多分ある意味で無限であろう。しかし、パインの栽培者はある人の口中に快い味覚を与えるにすぎず、かなりの明瞭さで口中の味覚の終わりと考えられるすべての結果は想像できるのである。

③第三種の財は、肉体的な快楽や便宜に資するもので、生命を直接維持するのに役立たないばかりかおそらく、時によっては間接的に生命を破壊してしまうものである。栄養食は別として、すべての美食と生産材、健康には必要でないすべての香料、黄金や宝石のように外観や稀少性だけで価値のある物質、栽培困難な花類、競走馬のような娯楽用の動物といったものが、この種の財を成している。「贅沢」とか「贅沢品」といった言葉は、主としてこの種の財にのみ専用されるべきものである。

この種の財に関してまず第一に注意すべきことは、こうしたすべての財はその所有者にとってすら利益があるものかどうか疑わしいということである。怠惰心を誘発するような家具、甘い香料、美味にすぎた食物は、多少なりとも健康に有害である。また宝石や召使いたちに与える金ぴかのお仕着せやその他の富める者らが持つふつうの物は、その価格に比例するほどの快楽を所有者にもたらすことはまずないのである。

さらに、このような財は多くが使用するにつれて消耗するものである。宝石だけは大例外であるが、豊富な食料、華美な服装、馬や馬車は、所有者の使用によって消耗する。富豪たちには、彼の壮年期の贅沢に費やした金銭の利子を、晩年期までの総合計でいくら支払うことになるかを、もっとしばしば教えてやるべきであろう。たとえば、過去二十年間ロンドンで食後の雑談や舞踏会で使われた氷に支払った金額が貯畜され、複利で運用されたならば、現在有用な目的に提供できる正確な金額がいくらになるかを知るのは非常に興味深い。

またたいていの場合、この種の財の享楽は利己的なものであり、その所有者にのみ局限されているものである。しかしながら、素晴らしいドレスや装身具が真の美的効果を発揮するように配列されている場合には、往々にして、利己的な金銭の使い方というよりは気前が良いと言って差し支えない。しかしこのような場合には幾分か意匠芸術の要素が含まれていることがあり、単なる贅沢というよりは、もっと高い範疇に位置づけられるものである。

④第四種の財は、知的あるいは情緒的快感を与えるもので、耕作のためというよりは楽しみのための土地、書籍、芸術作品や博物学の標本といったものから成っている。

もちろん、第三種とこの第四種の財の間に厳密な区別を設けることは不可能である。というのは、ある人にとっては単なる贅沢であっても、他人には知的労作の一材料となるからである。ロンドンの舞踏会場にある花は贅沢品であるが、植物園の花は知的快楽の目的物であり、野に咲く花はその両方である。けれども、最も高貴な芸術品でも、絶えず野卑な贅沢あるいは罪悪的誇示の材料をつくっているのであるが、しかしそれが正しく使われたときには、この第四種の財は真の財の名に値する唯一の種類であり、真に所有すると言える唯一の種類のものである。生きるに必要なだけのものを食い、飲み、着るということは、呼吸するための空気と同様に個人の所有という考えはできない。食物と同様に空気は人間にとって必要なものであるが、われわれは空気を富とは言わない。そして、食料、あるいは衣服を自身の必要以上に持っていても、それは他人に使用させることになる。したがってそれ自身は真の財ではなく、それと交換に他のある真の財を取得する一手段にすぎないのである。知的あるいは、情緒的快楽を与えるようなものは蓄積することもでき使用しても消耗しないけれども、絶えず新しい快楽を供給し他人にも快楽を与える新しい力を供給しているのである。それゆえに、これらの財こそは、正しく「富 wealth」あるいは「福利 well being」を与えるものとして考えることのできる唯一の物である。食物はただの「存在」にだけ資するものであるが、これらの財は「福利」に資するものであり、この真の財の所有を基礎として立てられた区分ほど人間の等級の高下の間における広範で一般的な区別はないのである。動物学者は人類を「庭園、書斎、芸術品を所有する人間と、何もこれらを所有しない人間」に分類しているが妥当なものである。世界を自分たちの庭園や博物館としている少数の人々を例外とし、前者にはすべての高尚な人間を含んでいる。しかし、そうしたものを所有しない人々、あるいはそうしたものに関心がなく金銭や贅沢品ばかりに関心を抱いている人々も同じだが、この種類には下等な人間だけが含まれている。私が「庭園」という言葉を使ったのは、チャッツワース（英国ダービシャーの国立公園内にあるデヴォンシャー公の邸宅で、欧州園芸の粋を尽くした大庭園で知られる）や、キュー（テムズ河畔の小村で、王立植物園で有名）の庭園を意味するとともに、カルトゥジオ修道会（聖ブルーノが一〇八四年フランスで創立した会派。厳しい戒律で知られ、現在もヨーロッパ各地に僧院がある）が、その僧院の控え壁の間につくった一五平方フィートほどの小さな土地をも意味していることは、よく承知しておかなければならない。また私の意味するところの「芸術」という言葉には、ラファエロのディスピュータ（Disputa バチカンの使徒宮殿にある宗教画「聖体の論議」）を意味すると同様に、ベレ・ポーレを誘おうと水に浮かんでいるアレトゥーサ（ギリシャ神話に登場する川の妖精）の古い版画をも意味している（この版画とは英仏間の海戦をなぞってつくられたもの。Belle Poule は仏海軍のフリゲート艦、Arethusa は元仏海軍のフリゲート艦だったが一七五七年英海軍に拿捕され英海軍船として就航。一七七八年、米独立戦争中の英海軍と仏海軍の間の最初の戦いで両船は交戦し、両国とも自軍の勝利だと喧伝した）。そしてむしろ、後者をより多く意味することとさえある。というのは、この種の美しい所有物があまり多くなった場合には、それはほとんど常に俗悪な贅沢と相通じるものであり、その所有者の高貴な品性を示すことには決してならないからである。人生の理想はスパルタ式の質素とアテナイ式の敏感性と想像との結合したものであるが、現実にはわれわれは絶えず質素を無知、洗練を感覚的と誤解しているのである。

⑤第五種の財は代表的なもので、証書あるいは金銭もしくは、むしろ証書だけから成ってい

る。というのは、金銭そのものは人間社会に流通している交換可能な証書であり、一覧後ある一定の利益あるいは便宜に対する、最も普通には、これら社会に存在する真の財のある一定の分け前に対する要求権を与えるのにすぎない。財が真に要求権を与え、あるいは便宜がある者の要求権を与える場合にのみ金銭は真の財となる。そうでないときは金銭は偽物となる。そして個人が発行したときと同様に政府や銀行によって発行されたときも偽造と考えて良いのである。たとえばもし一ダースの人々が無人島に漂着し、たくさんの石を拾い集め赤い印をつけ、赤い印のついた石の各々には小麦の一粒に対する要求権を与えるという法律を通過させたとしても、小麦がその島に存在しないかつくる見込みがない限り、その石は金銭ではない。しかし赤い印の石の各々に一粒の小麦を与えるだけの十分なものが常に社会に与えられたならば、この石はたちまち金銭となるのである。そしてその所有者は、その石が表現している小麦一粒の価値に達するまではいつでも、彼の好む他の物と交換可能となる。もし、石が小麦の需要に応じられる以上に発行されたならば、石貨の価値は小麦が需要に応じるのに必要な量以上のものに比例して下落するのである。

さらに、無人島に漂着した人々のうちの何人かが、抽選なり、他の何かの協議によって選ばれ、社会全体のために荒仕事をしなければならなくなり、同時にその人自身は一定量の食料、衣服等の人々の割り当てを受けて自分の生活を維持するようになったと仮定しよう。そして、もし赤印石が、これらの人々の労働に対する政府命令の標識であり、労働事務署に赤印石を提出した人は誰でも、一日でも一週間でも一人分の労働を受けることが承認されたならば、その赤印石は金銭となるのである。そうすると多分、その石の価値によって保証された期間の一人分の労働に相当する食料、衣服、あるいは鉄、その他の物品に対して、金銭として島中に流通するようになるであろう。しかし、政府が多量の赤印石を発行したならば、命令に応じて雇用されることが不可能になり、たとえば一二人しか雇用していないのに毎日の仕事に対し一八個の石が発行されたと仮定すれば、六個の石は贋造《がんぞう》されたかあるいは偽造の結果、全体の貨幣価値は三分の一だけ下落することになる。それは平均して各命令の執行にあたって、必然的に起る対価物不足の期間なのである。国家や社会においても、一種の刺激策として偽造通貨の発行あるいは偽りの約束の助けによって臨時の事業が随分行われている。そして、もしその仕事の成果が約束者の手に入るならば、偽りの約束も最終的には履行されるようになることも往々にしてある。こうして政府や銀行による偽造通貨の発行はしばしば見られ、かかる偽の発行による自然にして当然の結果をもしばしば免れることになる。そうして、真の金銭とは何ぞやという大部分の人々の心に混乱した概念を植え付けるようになる。一国内において一定量の偽造通貨の発行が労働力を刺激し、最低平均生産量に正確に比例することが真に許されるべきか否かについて、私は確信を持てない。しかしそのような処置は多少とも不健全なものであり、通貨の無制限発行説などは支離滅裂の人智で考えられる愚説にして最も奇怪なものの一つにすぎないのである。

　通貨として、黄金や宝石などのような実際価値もしくは想定価値を有する物体の使用は野蛮なことである。それは、常に自己の政府に対する社会の不信用の度合あるいは、その社会が取引する他の諸国民の不信用もしくは野蛮の程度を表示するものである。容易に腐食しない、また模造のできない金属は、清潔さと便宜さのために取引の媒体としては好ましいものである。しかし、偽造さえ防げるのであれば、金属そのものは無価値なものほど良いのである。価値ある媒体の使用によって妨げられないような無価値な媒体の使用は制限されず、あるいは少なくとも不相応な規模で貨幣の発行をしたり、しようと思うものである。しかし彼の言葉には何の価値もないから、約束手形の無制限な発行は当然なことだと思うではないか。なるほど海外諸国民との通商は、世界の現在の進歩の程度から見れば、まだ何年かは、価値ある通貨によって運用されるに違いない。しかしそのような取引は、物々交換の一変形にすぎない。現在、黄金は通貨として用いられているのではなく、実際のところは通貨の要求権である真の財【注】の一つであり、その数量が計れるように刻印を付し、時には物々交換によって真の通貨にまざって使用されているものである。

【注】あるいは、むしろこのような真の財の対価物といった方がよいかもしれない。というのは、誰でもがそれを価値あるものとして認める習慣ができていて、誰でもがそれと交換に労働なり物品なりを喜んで提供するからである。けれども真の財は結局、身心に栄養を与えるだけのもので、黄金はもしそれと交換に羊肉なり書籍を買うことができなければ、われわれにとって無用のものである。結局すべての商業上の誤りや財務上の困難は、人が働かずに財貨を得ようと期待したり、あるいは財貨を得た後でそれを空費することに原因している。少しでも働きかつ労働の結果を尊重するような国民は、たとえ宇宙に黄金はなくとも豊かで幸福なのである。怠けて働いて得たものを空費しているような国民は、たとえ山全体が黄金であっ

たり、渓谷が氷河の代わりにダイヤモンドで満たされていたとしても貧しく、不幸である。

根拠のない通貨の使用から必然的に生じる弊害は、本論文を印刷中に恐るべき実例を示した。先頃米国や英国で起こった「恐慌」の原因となった、不正で不合理な取引の諸条件を検討する時間は持ち合わせていない（十九世紀の英国は、一八二五、三六、四七、五七＝本書の初版発行年、六六年とほぼ十年おきに数度の恐慌を経験した）。ただ私は、いかなる商人でも、少なくとも商人の名に相応しい者は、「恐慌」に巻き込まれることはなく、軍人が恐慌に巻き込まれるはずがないのと同様だということを知っている。というのは、彼の姓名はどんなことが起ころうとも、いつでも、その請求に応じ得る以上の額面の手形には署名してあるはずがないからである。現在の商業界において企業心と投機心の間に厳密な限界を定めることは、極めて困難であると感じざるを得ない。英国軍人は常に可能な限りのものを行い、可能以上のものに挑戦しようという気質と、英国商人が危険を冒してまでも是認できない大欲と、耐えることのできない努力をさせるような影響力を結合させるような気質と同じような何物かが存在するのである。そして英国の旅行家が毎夏、危険な雪に覆われ雲に取り囲まれた絶壁に立ちロマンチックな雰囲気に包まれ、空虚な投機の輝きや破滅の淵《ふち》が雲の輝きに巻き込まれて冒険心を満足させるのと同じ気持ちである。いや、もっと高く真剣な感情がしばしば雑多な誘惑と混在していることがある。そして人々は宿命づけられた労働と同様に金持ちになろうとし譴責《けんせき》なしにとどめることもできず、不名誉なしに手を引くこともできないのである。私にはわが富の大通商都市は、敬虔《けいけん》な祈りの音楽に代わって水車やクレーンの唸る音がとって代わり、マモン（金銭や富の象徴。一方で物欲や貪欲の象徴）やモロク（古代の中東で崇拝された豊作や利益を守る神。一方で子どもを生け贄にする）への礼拝が、心からの敬虔の念と厳格な儀式とで行われている修道院施設のように見える。商人は聖者の克己の気持ちでマモンの朝拝に列するために起き、一日が終わると誤って冒したかもしれない浮薄な行いの罪を贖《あがな》うために、マモンの夕べの祈りに出席するのである。しかし、これらの良心的でロマンチックな人々に与えられるすべての手当をもってしても事実は一切変わらない。それは、今日の恐慌の時代をもたらした大部分の商取引は、二つの大項目すなわち賭博と盗みとの下に置かれているのである。そしてこの両者は、最も憎むべき方法で行われている。すなわちわれわれのものではない金銭で賭博をし、われわれを信頼している人から盗みを働いているのである。私は時々、百家族の生活を完全に支えられる十万ポンドの金銭を盗むような高学歴の男は、ポケットから財布をかすめ取り台所からマグカップを盗むような無学者と同じくらいの厳罰に処するに価すると、国民が思うような日がやがては来るだろうと、時折考えているのである。

しかし、このような明瞭にすぎることまでは望まないが、少なくとも、われわれは日常生活において行われているより小さな商売において、より大きな正直と親切な制度をつくることに努めたい。というのは、大きな買い手や売り手の大きな不正直は、小さな買い手や売り手の小さな不正直からの自然的な発生や結果にほかならない。物品を適当な価値以下で買おうとする人、あるいは適当な価値以上に売ろうとする人、つまり、消費者の金銭を商人に当てにさせているような消費者や、消費者に掛売りによって散財をさせようと賄賂を贈るような商人はみな、自分の力量に応じて根拠のない不名誉な商業組織の発達を助長し、国家を貧困と恥辱に陥れているのである。適当な資産と普通の知力を持った人々は、普通の商売において、公正と正直の厳格な原則を単に実行さえすれば、仰々しい慈善事業の巧妙な計画あるいは神学上の教義を大声で唱えるよりも、はるかに大きな真に善い事をしているのである。ここに正義、慈善および真理という法の三大重要項目がある。そして、キリストは真理を最後に置いている。というのは、正義と愛とを一通り実行した後にのみ知ることができるからである。しかし世の人々は、あらゆる努力をして、真理を最初に置いている。それは、彼ら自身の意思だと思っているからである。そしてそのような理由から、世の中には、真理と称するもののために殉教の苦に甘んじている者も多くいるが、正義と慈善のために少しの不便さえ忍ぶ者はいないのである。

ジョン・ラスキン
John Ruskin（一八一九―一九〇〇）
十九世紀のイギリスを代表する評論家・美術批評家。ロンドンの富裕な商人の家に生まれヨーロッパ各地の風景や優れた美術、建築に接して育った。オックスフォード大学を卒業、のちに同大教授。二十四歳でターナーの作品を弁護する『近代画家論』を発表、一躍注目を浴びる。自身も製図を手がけ水彩画を描き、ラファエル前派運動のパトロンでもあった。偉大な建築は国民の宗教性、美的感受性の高さを示すとし『建築の七燈』『ヴェネツィアの石』などでヨーロッパ建築を調査、その基礎を支える労働者の生活に目を転じ、実践的立場から社会、経済、政治の改革論を発表した。『芸術経済論』はラスキン三十八歳の発表で『ムネラ・プルヴェリス』『この最後の者にも』とともに経済三部作をなす記念的著作。

宇井丑之助（うい・うしのすけ）
一九〇一年、千葉県生まれ。早稲田大学商学部卒業。紐育スタンダード石油会社、石油配給公団を経て、石油荷役㈱取締役総務部長、東京都石油業協同組合副理事長、ペガサス・オイル㈱社長他を歴任。ラスキン・アソシェーション会員、東京ラスキン協会評議員。
主著に『ジョン・ラスキンの人と思想』『夢みる石油人記』『芭蕉に学ぶ』（以上、東峰書房）、『ラスキン政治経済論集』『仰光録』（以上、史泉房）、『石油経済論』『石油読本』『南方石油経済』（以上、千倉書房）、『石油戦線』（鶴書房）など。

宇井邦夫（うい・くにお）
一九三三年、宇井丑之助の長男として生まれる。早稲田大学理工学部応用化学科卒業。日本石油㈱、東邦工業㈱、理研香料工業㈱にて品質管理・開発研究に従事。東京ラスキン協会会員。
主著に『すぐに役立つQCサークルのすすめ』（鹿島出版会）、『志賀重昂・人と足跡』（新宿書房）、『ウイ・ウイ・エイ―熊野神社と宇井氏の系譜』『山の神とオコゼのはなし』（現代フォルム）、『熊野神社歴訪』（巌松堂出版）、『熊野三山歴史めぐり』（碧天舎）、『東総の改革者たち・宮負定雄と平田国学』（巌松堂出版）、『友愛随想録』（私家版）、『黒潮の道』（私家版）など。

仙道弘生（せんどう・こうせい）
編集者。主著に『日本をつくった女たち』『DNPスピリット』など。

新訳版　芸術経済論《げいじゅつけいざいろん》

——与《あた》えられる歓《よろこ》びと、その市場価値《しじょうかち》

2020年6月27日　初版第一刷発行

著　者　ジョン・ラスキン

訳　者　宇井 丑之助・宇井 邦夫・仙道 弘生

発行者　仙道 弘生

発行所　株式会社 水曜社

〒160―0022

東京都新宿区新宿1―14―12

TEL　03―3351―8768

FAX　03―5362―7279

suiyosha.hondana.jp

装　幀　西口雄太郎（青丹社）

印　刷　日本ハイコム株式会社

ISBN 978-4-88065-473-7 C0036